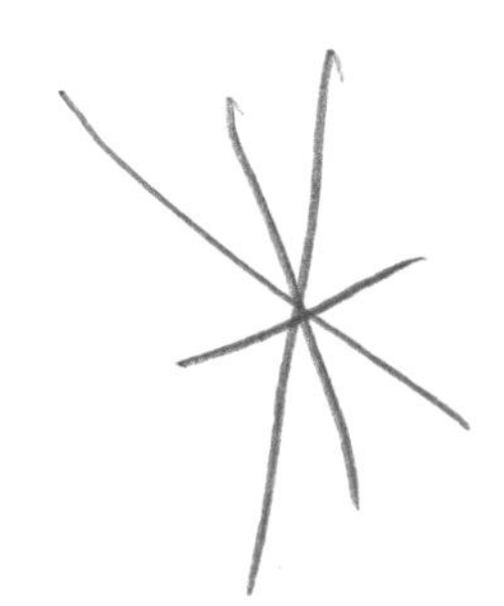

D1288509

Comme un livre CE1

Renée Léon
Agrégée de lettres modernes

Lydia Susanna d'Ambra
Professeur des écoles

Avant-propos

Donner à lire et donner à voir, tel est ici notre projet.

Nous avons résolument voulu un beau livre, un livre où l'on ait envie d'entrer, un livre qui donne aussi l'envie d'aller plus loin.

Les textes, classés par genres (les contes, le théâtre, les poésies, les documentaires, les histoires), explorent tous les domaines de la littérature de jeunesse. L'enfant lit pour rire, pour rêver, pour rencontrer des personnages mythiques et légendaires, pour découvrir le monde, pour réfléchir…

À l'intérieur de chaque genre, les textes sont présentés par ordre de difficulté croissante. Deux cahiers d'exercices accompagnent d'ailleurs cet ouvrage : l'un regroupe les textes faciles (*), l'autre les textes un peu plus difficiles (**). Ceci nous a semblé important dans la perspective de classes parfois très hétérogènes.

Ce recueil de textes réunit donc :

- des textes faciles et des textes moins faciles ;
- des textes courts et des textes plus longs ;
- des textes modernes et d'autres plus classiques ;
- des textes connus et des textes moins connus ;
- des textes drôles et des textes abordant des sujets plus graves…

Mais toujours, nous l'avons souhaité, des textes forts.

Ici, pas de parcours imposé. L'enseignant chemine en fonction de sa classe et des priorités qu'il se donne.

Le questionnaire, volontairement léger, est centré sur l'essentiel : l'idée centrale, la situation, les personnages, l'information phare… Il tend à susciter des échanges au sein de la classe et à impliquer l'élève dans sa lecture.

Les mots difficiles sont expliqués en marge dans leur contexte.

Les illustrations sont des œuvres d'art : reproduction de tableaux, de gravures anciennes, de sculpture et de photographies.
Elles n'illustrent pas le texte au sens strict du terme. Elles le prolongent plutôt, dans un autre domaine de la création. Elles donnent des repères, elles affinent le regard, elles nourrissent l'imaginaire.

Les auteurs

Sommaire

Les contes

Le théâtre

* Les textes situés entre * et ** seront travaillés dans le cahier 1.
** Les textes après ** seront travaillés dans le cahier 2.

Les poésies 72

Les documentaires 90

* Les textes situés entre * et ** seront travaillés dans le cahier 1.
** Les textes après ** seront travaillés dans le cahier 2.

Les histoires

* Les textes situés entre * et ** seront travaillés dans le cahier 1.
** Les textes après ** seront travaillés dans le cahier 2.

Les contes

La Petite Poule Rousse

Adaptation française d'Anne Laflaquière, *Beaux Contes célèbres*, Nathan.

Un jour que la Petite Poule Rousse grattait le sol, elle trouva un grain de blé.
« Ce blé doit être planté, dit-elle.
Qui plantera ce grain de blé ?
– Pas moi, dit le Canard.
– Pas moi, dit le Chat.
– Pas moi, dit le Chien.
– Eh bien, je le ferai », dit la Petite Poule Rousse.
Bientôt le blé devint tout doré.
« Ce blé est mûr, dit la Petite Poule Rousse.
Qui le coupera ?
– Pas moi, dit le Canard.
– Pas moi, dit le Chat.
– Pas moi, dit le Chien.
– Eh bien, je le ferai », dit la Petite Poule Rousse.
Quand le blé fut coupé, la Petite Poule Rousse dit :
« Qui veut battre ce blé ?
– Pas moi, dit le Canard.
– Pas moi, dit le Chat.
– Pas moi, dit le Chien.
– Eh bien, je le ferai », dit la Petite Poule Rousse.
Quand le blé fut battu, la Petite Poule Rousse dit :
« Qui portera ce blé au moulin ?
– Pas moi, dit le Canard.
– Pas moi, dit le Chat.

battre le blé :
faire sortir les grains de l'épi en le battant.

un moulin :
un endroit où l'on fait de la farine avec le blé.

– Pas moi, dit le Chien.
– Eh bien, je le ferai », dit la Petite Poule Rousse.
Elle porta le blé au moulin et le fit moudre en farine.
Puis elle dit : « Qui fera du pain avec cette farine ?
– Pas moi, dit le Canard.
– Pas moi, dit le Chat.
– Pas moi, dit le Chien.
– Eh bien, c'est moi qui le ferai », dit la Petite Poule Rousse. Elle fit le pain et le mit au four.
Puis elle dit :
« Qui veut manger ce pain ?
– Moi, moi ! dit le Canard.
– Et moi aussi ! dit le Chat.
– Et moi aussi ! dit le Chien.
– Eh bien, dit la Petite Poule Rousse, cela aussi je peux le faire. »
Et c'est ce qu'elle fit.

moudre :
écraser des grains pour faire de la poudre.

Peinture fixée sous verre, Sénégal.

▼ Combien y a-t-il d'animaux dans ce conte ? Lequel est le plus important ?
▼ Fais la liste de tout ce que doit faire la Petite Poule Rousse pour fabriquer son pain.
▼ Que fait la Petite Poule Rousse à la fin du conte ? Qu'en penses-tu ?

La petite fourmi

Mille Ans de contes, Éditions Milan.

gelé : transformé en glace.

La petite fourmi part en voyage.
Elle veut traverser le ruisseau gelé mais elle glisse et se casse une patte. Elle dit :
– Oh ! Glace, que tu es forte, tu m'as cassé une patte.
La glace dit :
– Le soleil est plus fort que moi car il me fait fondre.
Le soleil fait fondre la glace,
la glace casse la patte de la petite fourmi.
Le soleil dit :
– Le nuage est plus fort que moi car il me cache.
Le nuage cache le soleil,
le soleil fait fondre la glace,
la glace casse la patte de la petite fourmi.
Le nuage dit :
– Le vent est plus fort que moi car il me chasse.
Le vent chasse le nuage,
le nuage cache le soleil,
le soleil fait fondre la glace,
la glace casse la patte de la petite fourmi.
Le vent dit :
– Le mur est plus fort que moi car il m'arrête.
Le mur arrête le vent,
le vent chasse le nuage,
le nuage cache le soleil,
le soleil fait fondre la glace,

la glace casse la patte de la petite fourmi.
Le mur dit :
– Le rat est plus fort que moi
car il me perce.
Le rat perce le mur,
le mur arrête le vent,
le vent chasse le nuage,
le nuage cache le soleil,
le soleil fait fondre
la glace,
la glace casse la patte
de la petite fourmi.
Le rat dit :
– Le chat est plus fort
que moi car…
il me mange !

Gravure colorée.

▼ Qui est plus fort que la petite fourmi ?
▼ Qui est plus fort que la glace ?
▼ Qui est plus fort que le soleil ? ▼ Qui est plus fort que le nuage ?
▼ À ton avis, est-ce que le chat est le plus fort de tous ? Explique ta réponse.

Éloïse et les loups

Marie-Hélène Delval, *Éloïse et les loups*, Éditions Bayard Presse.

C'est l'hiver. Il fait très froid et tout est gelé. Éloïse est venue chercher du bois dans la forêt. Elle rencontre un petit rouge-gorge et elle lui donne du pain. Elle rencontre ensuite un ourson pris dans un piège et elle le délivre. Et puis, tout à coup, la nuit vient.

La nuit est tombée, maintenant.
Éloïse s'est endormie de froid dans la forêt de verre.
Alors on entend un long cri. Ça fait hou ! hou ! hou !
Ce sont les loups…
Les loups entourent Éloïse endormie et le plus vieux d'entre eux dit :
– Quand elle ne dort pas, cette chose marche sur deux pieds, comme les chasseurs. C'est sûrement une sorte de chasseur !
Les autres loups approuvent :
– Oui, un chasseur, hou hou !
Vieux-Loup reprend :
– Et les chasseurs, qu'en faisons-nous, nous les loups ?
Et les autres loups répondent :
– Nous les dévorons, hou hou !
Alors une petite branche craque.
Un couple de rouges-gorges avec leur petit vient de se poser devant le nez de Vieux-Loup.
Père Rouge-Gorge se met à crier :

approuver : *dire oui, être d'accord.*

Les Chasses de Maximilien, tapisserie de Flandres, vers 1530.

– Piu piu piu ! Arrière, les loups ! Ceci n'est pas un chasseur, c'est une petite fille. On ne dévore pas les petites filles ! Et celle-ci a donné à manger à notre petit qui s'était éloigné du nid !
Vieux-Loup ricane :
– Allons, pousse-toi, microbe, ou je t'écrase d'un coup de patte !
Mais alors le sol tremble et deux ombres énormes suivies d'une plus petite surgissent dans la clairière.
Une grosse voix tonne :
– Arrière, les loups ! Ceci n'est pas un chasseur, c'est une petite fille. On ne dévore pas les petites filles ! Et celle-ci a délivré notre ourson du piège des chasseurs !
Vieux-Loup grogne :
– D'accord, Gros-Ours, ne te fâche pas, on ne savait pas !
Et aussitôt la meute des loups disparaît sans bruit au fin fond de la forêt.

surgir : *apparaître brusquement.*

une clairière : *un endroit sans arbres au milieu de la forêt.*

une meute : *un groupe.*

▼ Qu'est-ce qui arrive à Éloïse au début du conte ?
▼ Les loups pensent qu'Éloïse est un chasseur. Pourquoi ?
▼ Qui parle pour tous les loups ?
▼ Qui vient sauver Éloïse ? Explique ta réponse.

Il frappa, et la maison s'effondra.
Il souffla et la maison s'envola. Mais les deux petits cochons se sauvèrent chez leur frère à la maison de briques en criant :
– Ouvre-nous ! Vite !
Le loup veut nous manger !
Le petit cochon les fit entrer dans sa maison de briques et ferma vite la porte. Déjà, le loup arrivait ! Quand il vit la petite maison de briques, il éclata de rire :
– Ha ! ha ! ha ! Je vais frapper, la maison va s'effondrer ! Je vais souffler, la maison va s'envoler !
Il frappa... et il se fit bien mal à la patte ! La maison ne bougea pas. Il souffla, mais il eut beau souffler à en tirer la langue jusqu'à terre, la maison ne bougea pas. Alors il dit :
– Je vais monter sur le toit, je vais trépigner jusqu'à tout casser ! La maison s'effondrera !
Il monta sur le toit et se mit à trépigner mais le toit était hérissé de clous et il se piqua très fort les pieds ! Il courut vite à la rivière pour les rafraîchir dans l'eau et il se dit : « Il faut que je fasse sortir les petits cochons de cette maison. »
Il retourna à la maison et dit aux petits cochons :
– Vous ne pouvez pas rester enfermés dans cette maison, vous allez mourir de faim !
Pourquoi n'allez-vous pas cueillir des pommes au verger du père François ?

trépigner : *taper des pieds.*

– Nous irons demain quand le soleil sera levé, répondit le troisième petit cochon.
Alors le loup rentra chez lui. Au lever du soleil, il alla au verger et se cacha derrière un arbre pour guetter les petits cochons. Il attendit longtemps, longtemps, sans voir le bout de l'oreille d'un petit cochon. Alors, il revint à la maison de briques. Sniff, sniff ! ça sentait la compote de pommes !
Il frappa à la porte : toc, toc !
– Petit cochon, es-tu là ?
– Oui, je suis là, je fais cuire de la compote de pommes.
– Petit cochon, quand as-tu cueilli ces pommes ?
– Ce matin, avant que le soleil se lève, pendant que tu ronflais.
– Petit cochon, il y a de beaux raisins bien mûrs à la vigne du père Matthieu, n'as-tu pas envie d'y goûter ?
– Oui, j'irai en cueillir ce soir, après le coucher du soleil.
Le loup renifla une dernière fois la bonne odeur de la compote et s'en alla, très en colère. Le soir, après le coucher du soleil, il se rendit à la vigne du père Matthieu et se cacha derrière une souche. Il attendit longtemps, longtemps, sans voir le bout de la queue d'un petit cochon. Alors, il revint à la maison de briques. Sniff, sniff ! ça sentait la tarte aux raisins !
Il frappa à la porte : toc, toc !

une souche :
ce qui reste du tronc, avec les racines, quand l'arbre a été coupé.

– Petit cochon, es-tu là ?
– Oui, je suis là, je fais cuire une tarte aux raisins.
– Petit cochon, quand as-tu cueilli les raisins ?
– Cet après-midi, pendant que tu faisais la sieste.
Le loup reniflait la bonne odeur de la tarte aux raisins et il était de plus en plus en colère.
Il se dit : « Puisque je ne peux pas les attraper quand ils sortent, je vais entrer dans leur maison ! »
Il alla cueillir des fougères et s'en fit des chaussons pour pouvoir marcher sur le toit hérissé de clous. Il grimpa sur le toit et commença à descendre par la cheminée…
Mais les petits cochons se méfiaient ! Ils avaient allumé du feu dans la cheminée et mis à chauffer une grande marmite d'eau. Plouf !
Le loup tomba dans la marmite et mourut.
Les trois petits cochons portèrent la marmite aux corbeaux et leur dirent :
– Voici un loup bien cuit, bouilli et rebouilli. Voulez-vous le manger ?
Les corbeaux mangèrent le loup. Les petits cochons rentrèrent chez eux et mangèrent la tarte aux raisins. À partir de ce jour, ils vécurent heureux et tranquilles dans leur petite maison.

renifler : *sentir.*

▼ Que veut le loup tout au long de l'histoire ? Que lui arrive-t-il ?
▼ Penses-tu que les trois petits cochons s'entendent bien ? Pourquoi ?
▼ Qu'est-ce qui aide les trois petits cochons à se débarrasser du loup ?
▼ Que penses-tu du loup ?

Le feu et le léopard

Mille Ans de contes nature, Éditions Milan (rédaction de Claude Clément).

flamboyant : *qui donne beaucoup de lumière.*

une hutte : *une cabane.*

se laisser tenter : *dire oui, accepter.*

grésiller : *faire du bruit en brûlant.*

calcinée : *complètement brûlée.*

Il y a très longtemps, le feu était déjà brûlant, jaune, rouge et flamboyant. Le léopard était tout blanc. Tous deux étaient très bons amis.

Le feu restait toujours chez lui, dans la caverne d'un gros rocher, et le léopard venait bavarder avec lui.

Un jour, le léopard tout blanc demanda gentiment au feu :

– Pourquoi ne viens-tu pas chez moi, dans ma hutte, au moins une fois ?

Prudemment, le feu répondit :

– Je crois que c'est mieux ainsi car, si je sors me promener, plus rien ne peut m'arrêter.

Mais le léopard insista :

– Je t'en prie, rien que pour une fois, accepte de venir chez moi !

Alors, le feu se laissa tenter et sortit se balader. En passant dans les fourrés, il commença à tout brûler.

Les forêts se mirent à flamber et les prairies à grésiller… Quand il parvint devant chez son ami, son élan ne fut pas ralenti. Le léopard eut beau crier, protester, gémir et supplier, le feu ne pouvait plus s'arrêter ! Et la demeure fut calcinée !

Le léopard réussit à s'enfuir avant de griller et de rôtir. Mais sur son beau pelage blanc, autrefois si propre et luisant, étaient imprimées de grandes taches noires.
Depuis cette histoire, le léopard et le feu sont fâchés. Ils ne veulent plus se rencontrer et font même tout pour s'éviter.

Le Dévoilement des secrets, miniature, Istanbul.

▼ Que veut le léopard ? Pourquoi ?
▼ Le feu a-t-il raison de ne pas sortir de sa caverne ? Explique ta réponse.
▼ Qu'est-ce qui arrive au léopard ?

Les cinq aveugles et l'éléphant

Muriel Bloch, *365 Contes pour tous les âges,* Hatier.

Cinq aveugles voulaient savoir à quoi ressemblait un éléphant.
Le cornac leur permit de toucher l'animal pour s'en faire une idée.
« L'éléphant ressemble à un gros serpent », dit l'aveugle qui avait touché la trompe. « Non, il est semblable à un chasse-mouches », protesta celui qui tâtait l'oreille. « Allons donc, c'est un pilier ! » déclara celui qui tâtait la jambe. Celui qui tenait la queue affirma : « Pas du tout, c'est une corde ! » Et celui qui palpait une défense se mit à rire : « Êtes-vous sots ! Un éléphant, cela ressemble à un os ! »...

un cornac :
une personne qui conduit un éléphant.

semblable :
pareil.

tâter :
toucher, palper.

▼ Chaque personnage dit quelque chose de différent sur l'éléphant. Explique pourquoi.
▼ Que faudrait-il faire pour que tous les aveugles disent la même chose ?

Max Ernst, L'*Éléphant, Célèbes*.

La princesse sur un pois

La Belle au bois dormant, illustration de H. C. Appleton.

Hans Christian Andersen, *Contes*, Grasset Jeunesse.

Il était une fois un prince qui se cherchait une princesse, mais il voulait une vraie princesse. Il courut le monde pour en trouver une, mais jamais il n'était satisfait : les princesses ne manquaient pas, mais comment être sûr que c'étaient de *vraies* princesses ? Il y avait toujours quelque chose qui n'allait pas. Alors il revint chez lui, bien triste, car il lui fallait une vraie princesse. Un soir, il faisait un temps horrible : les éclairs, le tonnerre, la pluie à torrents... c'était épouvantable ! Quelqu'un frappa à la porte de la ville et le vieux roi alla ouvrir.

C'était une princesse. Mais grand Dieu ! comme la pluie et l'orage l'avaient arrangée ! L'eau ruisselait de ses cheveux et de ses vêtements, entrait par la pointe de ses souliers, et sortait par le talon. Elle disait pourtant qu'elle était vraiment princesse. « C'est ce que nous saurons bientôt ! » pensa la vieille

ruisseler : *couler sans arrêt comme un ruisseau.*

reine, mais elle ne dit rien. Elle entra dans la chambre à coucher, ôta toute la literie, et mit un pois au fond du lit. Ensuite elle prit vingt matelas, qu'elle étendit sur le pois, et encore vingt édredons qu'elle entassa par-dessus les matelas.
C'était là que devait coucher la princesse.
Le lendemain matin, on lui demanda comment elle avait passé la nuit.
« Très mal ! répondit-elle ; à peine si j'ai fermé les yeux de toute la nuit ! Dieu sait ce qu'il y avait dans le lit ; c'était quelque chose de dur. J'en ai des bleus sur tout le corps. Quel supplice ! »
À cette réponse, on reconnut que c'était une véritable princesse, puisqu'elle avait senti un pois à travers vingt matelas et vingt édredons. Quelle femme, sinon une princesse, pouvait avoir la peau aussi délicate ?
Le prince, bien convaincu que c'était une vraie princesse, la prit pour femme, et le pois fut placé dans le musée, où il doit se trouver encore, si personne ne l'a pris.
Et cela, c'est une vraie histoire.

ôter :
enlever, retirer.

la literie :
tout ce qui fait le lit (sommier, matelas, draps...).

un édredon :
une couette épaisse.

un supplice :
une chose très pénible.

▼ Le prince n'est jamais content. Pourquoi ?
▼ Pourquoi la princesse a-t-elle très mal dormi ?
▼ D'après ce conte, qu'est-ce qu'une vraie princesse ? Qu'en penses-tu ?
▼ D'après toi, le prince est-il un vrai prince ?

Le filet des fées

Eric Voisin, *Les Fées*, « *Mes premières légendes* », Hachette Jeunesse.

Kahukura habitait sur une île,
perdue au milieu du grand océan Pacifique.
Comme tous les Maoris,
il pêchait pour nourrir sa famille.

Ainsi, chaque jour, il partait sur son bateau.
Mais, comme il pêchait avec un simple harpon,
Kahukura devait toujours attendre
qu'un gros poisson passe près de sa barque.
Quelquefois, il ne ramenait rien à manger.

un harpon : *instrument en forme de flèche pour attraper les poissons.*

Un soir
où il n'avait rien pêché,
Kahukura, fatigué, aborda sur une île
qu'il ne connaissait pas pour se reposer.
Durant la nuit, un bruit étrange le réveilla :
flip-flop-flip-frrreee, flip-flop-flip-frrreee…

Grâce à la lune,
Kahukura distingua un groupe de fées
formant une ronde au-dessus de l'eau.
Elles semblaient occupées
à un mystérieux travail…

distinguer : *commencer à voir.*

Tout à coup,
les fées se penchèrent
toutes ensemble en arrière
et tirèrent hors de l'eau
un curieux tissu à trous,
rempli de poissons
dodus et dorés.

dodus :
gras et ronds.

Kahukura se réveilla
aux premiers rayons
du soleil.
Les fées étaient parties
mais elles avaient laissé
leur curieux tissu à trous.
Kahukura emporta le filet
des fées chez lui
et apprit à s'en servir.

Depuis cette nuit
magique, les Maoris
pêchent beaucoup
de poissons et mangent
chaque jour à leur faim !

La pêche, art naïf, Tanzanie.

▼ Que fait Kahukura chaque jour sur sa barque ? Pourquoi ?
▼ Pourquoi appelle-t-on ce filet le «filet des fées» ?
▼ À ton avis, en quoi le filet des fées va-t-il être très utile à Kahukura ?
Explique ta réponse.

Le fermier avare et le valet rusé

Traduction de Jean Karel, *Contes russes*, Gründ.

un avare : *une personne qui veut garder son argent.*

un valet : *un serviteur.*

faucher : *couper.*

une considération : *une remarque.*

Il était une fois un fermier et il était si avare qu'il comptait jusqu'aux pois que sa femme mettait dans la marmite. Et ce fermier avait un valet qui s'appelait Vania et qui avait plus d'esprit dans son petit doigt que son maître dans toute sa grosse tête.

Un soir, le fermier dit à Vania :

– Demain, Vania, nous irons faucher le blé.

– Très bien, dit Vania. S'il faut y aller demain, on ira demain et s'il faut faucher, on fauchera.

Le lendemain donc, ils se levèrent de bon matin et le fermier dit :

– Femme, sers-nous le petit déjeuner !

La fermière leur apporta le petit déjeuner, ils l'avalèrent, s'essuyèrent les moustaches et le fermier se livra à des considérations :

– Voyons, voyons, à midi, il nous faudra revenir des champs pour déjeuner à la maison ? Il vaudrait mieux que nous déjeunions aussi maintenant. Femme, sers le déjeuner !

La fermière leur servit leur déjeuner, mais ils s'arrêtèrent de manger avant d'avoir tout fini.

– Eh quoi, faudra-t-il déranger quelqu'un pour nous

Hermelin avait invité le bonhomme à déjeuner, illustration de H. Reymond.

une collation : *un goûter.*

apporter la collation ? Prenons-la aussi tout de suite ! déclara ensuite le fermier et il était tout heureux de voir qu'il ferait des économies parce que Vania ne pouvait plus rien avaler.

La fermière leur apporta la collation. Vania ne fit que boire un peu de lait et laissa tout le reste.

Et le fermier dit :

– Et puis, quand nous rentrerons des champs, ce soir, nous serons fatigués et nous n'aurons pas d'appétit. Femme, sers-nous aussi le dîner tout de suite !

La fermière apporta le dîner, mais Vania était écœuré rien qu'à voir la nourriture. Et le fermier s'en amusait bien et dit :

– Hé bien, maintenant, attaquons-nous au blé !

Et Vania répondit :

– Que non ! patron et patronne. Après dîner, on va se coucher. Je vous souhaite une bonne nuit !

Et il s'en fut se coucher dans l'étable.

Et le fermier entra dans une colère noire contre Vania, mais ne put rien faire de plus que crier et rager !

rager : *montrer qu'on est en colère avec des gestes et des paroles.*

▼ Pourquoi le fermier fait-il servir tous les repas de la journée à la suite ?

▼ Quelle heure est-il à la fin du conte ?

▼ Penses-tu que Vania est malin ? Explique ta réponse.

La soupe magique

Sarah Hayes, *La Belle au bois dormant et autres contes*, Albin Michel Jeunesse.

Il était une fois une pauvre fille qui vivait seule avec sa mère. Un jour, elle se rendit dans la forêt pour y cueillir des mûres. Elle rencontra une vieille femme qui vit tout de suite qu'elle était pauvre et avait faim.

« Prends ce pot, dit la vieille femme. Tu n'auras qu'à soulever le couvercle et dire : "Cuis, petit pot, cuis !" Et quand tu auras assez mangé, il te suffira de dire : "Arrête, petit pot, arrête !" Et tu n'auras plus jamais faim. »

La petite fille remercia la vieille femme et emporta le pot chez elle. Sitôt rentrée, elle souleva le couvercle et dit : « Cuis, petit pot, cuis ! » Immédiatement, le petit pot se mit à gonfler et à bouillonner et à se remplir d'une délicieuse soupe.

Quand la petite fille eut assez mangé, elle dit : « Arrête, petit pot, arrête ! » Le pot s'arrêta et elle remit le couvercle.

La petite fille et sa mère n'avaient plus jamais faim, et tout alla bien jusqu'au jour où la mère eut envie de soupe alors que sa fille n'était pas là.

bouillonner : *faire de grosses bulles.*

La Sorcière, illustration hongroise.

« Cuis, petit pot, cuis ! » dit-elle en soulevant le couvercle du pot qui se mit à bouillonner et à se remplir de soupe.
Quand elle eut assez mangé, la mère essaya d'arrêter le pot. Mais elle ne savait pas quels mots prononcer. Elle remit le couvercle en place, mais le petit pot continuait à bouillir et la soupe se mit à déborder. Le petit pot bouillait toujours : la maison entière fut remplie de soupe, puis la maison voisine, et la suivante, et toutes les maisons du village à l'exception d'une maison qui se trouvait un peu à l'écart.
C'est alors que la petite fille rentra chez elle. « Arrête, petit pot, arrête ! » dit-elle en voyant la soupe qui dévalait devant la porte de la dernière maison. La soupe arrêta de bouillir et de gonfler, et le petit pot s'arrêta de cuire. Mais à partir de ce jour, quiconque voulait se rendre au village devait se frayer un chemin en mangeant de la soupe !

à l'écart : *plus loin.*

quiconque : *celui qui.*

se frayer un chemin : *écarter pour passer à travers.*

▼ Quels sont les personnages de ce conte ?
▼ Explique le titre du conte.
▼ Pourquoi la soupe se met-elle à déborder ?
▼ Quel nom donnerais-tu au village à la fin du conte ?

Ce que disent les gens

Margret et Rolf Rettich, 40 Petits Contes pour tous les âges, Centurion Jeunesse.

Loin des humains vivaient un père avec son fils. Ils vivaient paisibles et tranquilles et étaient toujours du même avis. Cependant, en grandissant, le fils fit un souhait :

paisibles : *en paix, calmes, tranquilles.*

– Je voudrais aller voir une fois dans le monde et entendre ce que disent les gens, demanda-t-il.

– Ne souhaite donc pas une chose pareille ! répondit le père. Pas un ne dit comme l'autre, et quoi que tu fasses, jamais tu ne pourras plaire à tout le monde.

– Je ne peux pas croire cela ! dit le fils.

Et il insista si longtemps que le père finit par se mettre en route avec lui. Afin que leur âne ne reste pas tout seul, ils l'emmenèrent avec eux ; et c'est ainsi qu'ils partirent dans le monde. Le père marchait devant, le fils marchait à côté de lui et ils tiraient leur âne derrière eux. Bientôt ils rencontrèrent un paysan. Ils s'arrêtèrent et parlèrent avec lui de la pluie et

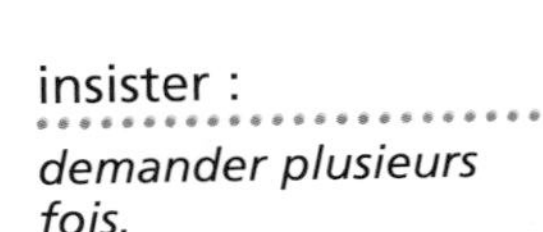

insister : *demander plusieurs fois.*

du beau temps. Pour finir, le paysan secoua la tête et leur dit :

se prélasser : *se reposer sans rien faire.*

– Pourquoi laissez-vous votre âne se prélasser ? Il pourrait bien porter l'un de vous deux ! Puis il leur dit adieu et s'éloigna.

États-Unis, État de New York, Albany, Elliott Erwitt.

– Le paysan a raison ! Viens père, monte sur l'âne ! dit le fils.
Le père s'assit sur l'âne et ils reprirent leur route. Devant marchait le fils, derrière suivait le père sur son âne.

Peu de temps après, ils rencontrèrent deux jeunes compagnons en tournée. Ils racontèrent ceci et cela des lointaines contrées qu'ils avaient visitées et, finalement, l'un dit à l'autre :
– Qu'en penses-tu, toi, que le père soit sur son âne, pendant que le pauvre garçon va à pied ?
L'autre compagnon secoua la tête, puis ils reprirent leur route.
– Les compagnons ont raison, dit le fils, descends père et laisse-moi monter l'âne.
Maintenant le fils était devant sur son âne et le père marchait à pied derrière.
Voilà qu'ils rencontrèrent une vieille femme qui

une contrée :
un pays, une région.

venait d'aller ramasser du bois. Elle pleurnicha ceci, cela. Et que les temps étaient bien durs et que son dos était bien bossu, puis elle dit :
– C'est une honte que le père aille à pied et que le fiston fasse le beau sur son âne !
Elle secoua la tête et s'en alla en boitant.
– La vieille a raison, dit le fils, tout honteux, monte avec moi sur l'âne, père !

une calèche : *une voiture à cheval.*

ménager quelqu'un : *ne pas trop le fatiguer.*

Les voilà donc tous deux sur l'âne, quand s'arrêta une calèche avec un beau monsieur qui bavarda avec eux de ceci, de cela, du commerce et de l'argent.
Finalement, il leur dit :
– Cette pauvre bête va bientôt crever si vous la chargez ainsi !
Et il repartit.
– Le monsieur a raison, dit le fils, il faut ménager notre âne, nous allons le porter.
Ils lui attachèrent les pattes de devant, puis les pattes de derrière, glissèrent ensuite une longue branche entre les pattes et soulevèrent chacun un bout de la branche. Après avoir ainsi porté l'âne un bout de chemin, ils arrivèrent devant une auberge où il y avait une foule de gens joyeux :

– Voyez ces imbéciles ! cria une voix. Ils portent leur âne au lieu de s'asseoir dessus !
Tous hurlèrent de rire ; une autre voix grinça :
– Même s'ils ne veulent pas s'asseoir sur l'âne, pourquoi ne le conduisent-ils pas par le licou, derrière eux ?
– L'homme a raison, dit le fils, pourquoi ne tenons-nous pas notre âne par le licou ?
– C'est ainsi que nous sommes partis de la maison, dit le père, mais pour complaire à chacun, je suis monté dessus, puis toi, puis nous deux, puis nous avons porté l'âne, et maintenant il faudrait de nouveau le conduire…
– Ne peut-on jamais plaire à tous ? demanda le fils.
– Jamais ! répondit le père.
Ils furent bien heureux de se retrouver au soir dans leur chaumière, loin du monde.

un licou : *une corde qui sert à conduire l'âne.*

complaire : *plaire.*

une chaumière : *une petite maison avec un toit de chaume (de paille).*

▼ Pourquoi le fils veut-il partir ?
▼ Le père est-il d'accord avec son fils pour partir ? Pourquoi ?
▼ Finalement, est-ce que le père avait raison ? Explique ta réponse.
▼ Ce conte veut donner un conseil à celui qui le lit. Lequel ?

Le géant

Margret et Rolf Rettich, *40 Petits Contes pour tous les âges*, Centurion Jeunesse.

Il était une fois un jeune garçon qui n'avait plus ses parents. Il décida de partir dans le monde à la recherche d'un endroit bien à lui. Sur son chemin, il trouve un oiseau perdu qui devient son premier ami.

Après avoir encore marché un peu, il arriva à une colline, il y monta et se dit :
– Je vais bien voir si je trouve une maison où je pourrai dormir cette nuit.
Mais, hélas, il ne vit ni ferme ni maison à perte de vue.

à perte de vue : *aussi loin que l'on peut voir.*

– Hélas ! s'écria-t-il, faut-il donc que je reste toujours seul au monde ?

Et il tapa avec colère trois fois le sol, de son bâton. D'un seul coup, voilà que la colline se mit à bouger et remuer. C'était le pied d'un géant et le garçon venait juste de taper sur son gros orteil.
– Ne t'énerve donc pas, dit le garçon, qui n'avait aucune peur du géant, tu souffrirais bien plus si c'était sur ton dos que j'avais frappé !
– Dis donc, moustique, gronda le

géant, dont la tête était presque dans les nuages, espèce de puceron insolent, tu me menaces ? Attends, je vais te montrer combien je suis fort ! Je suis le plus fort de tous les géants !
Il empoigna un tronc d'arbre et le serra si fort que du jus en coula à grosses gouttes.
– Espèce de m'as-tu-vu, dit le garçon, pas difficile de tirer du jus d'un arbre. Regarde un peu, moi je tire de l'eau d'un caillou !
Il ramassa un caillou et en se penchant il l'échangea habilement avec son fromage. Il pressa le fromage et en fit couler de l'eau. Le géant était stupéfait !
– Vraiment, tu es assez costaud, grogna-t-il, mais tu ne pourras jamais lancer un caillou aussi loin que moi !
Il souleva un rocher et le lança loin, loin, loin, là-bas où le ciel et la terre se rejoignent.
– C'est tout ? dit le garçon, moi je peux lancer encore plus loin !
Il ramassa un caillou et l'échangea avec l'oiseau qui s'était réchauffé dans sa poche. Il lança l'oiseau en l'air et l'oiseau s'enfuit à tire-d'aile. Le géant ne vit rien retomber et fut effrayé :
– Tu es vraiment incroyablement fort, murmura-t-il, et il invita le garçon :
– Viens chez moi, mange avec moi et dors dans mon lit.
Le garçon fut bien content d'avoir un toit pour la nuit et suivit le géant.

insolent :
qui se moque des autres.

empoigner :
prendre dans ses mains.

un m'as-tu-vu :
une personne qui est trop contente d'elle-même.

à tire-d'aile :
en battant fort des ailes.

Le géant avait une maison géante. Il servit des plats géants sur une table géante. Comme le garçon n'avait rien mangé depuis longtemps, il avait une faim de géant et en avala plus que le géant lui-même. Le géant se dit :

– Ce gaillard est dangereux, il doit disparaître !

un gaillard : *un garçon fort.*

Il lui donna son lit de géant. Mais la nuit, il se glissa dans la chambre et donna un coup de poing géant là où dans le lit se trouvait la tête du garçon. Il frappa si fort que le lit craqua.

– Ça suffira comme cela ! grogna-t-il.

Mais le garçon n'avait pas fait confiance au géant. Il avait mis un pot de terre dans le lit et s'était caché dans un coin. Il sauta alors sur ses pieds et cria :

– Qui m'a chatouillé ? Il va sentir mon bâton !

Alors le géant eut très peur. Il s'enfuit à bonds de géant et ne revint jamais.

Le garçon resta dans la maison géante. Plus tard, il trouva une femme. Ils se marièrent et habitèrent la maison géante. Ils eurent beaucoup d'enfants qui ne manquèrent jamais de rien.

▼ Pourquoi le garçon part-il autour du monde ?
▼ Que fait le garçon pour montrer qu'il est le plus fort ?
▼ Le géant trouve le garçon dangereux. Que décide-t-il ?
▼ Que penses-tu du garçon ?

Francisco Goya, *Le Colosse*.

sieme Journée.
lade imaginaire, Comedie representée

Le théâtre

Les clowns

Dominique Denis, *Jouons aux clowns*, Hachette Jeunesse.

Clown propose à Auguste un petit jeu qui cache un piège.
C'est le jeu du Oui ou Non.

épatant : *très bien, formidable.*

en aparté : *à part, pour que Clown n'entende pas.*

l'aubaine : *la chance, la bonne occasion.*

Clown – Ah ! Monsieur Auguste, je connais un jeu épatant où l'on gagne à tous les coups.
Auguste – Tiens donc ? Et qu'est-ce que c'est que ça ?
Clown – C'est très simple : tu dis « oui », tu gagnes ; tu dis « non », tu perds.
Auguste *(n'ayant pas très bien compris)* – Hé ?
Clown – Mais, oui, ce n'est pas compliqué. Tu dis « oui », tu gagnes ; tu dis « non », tu perds.
Auguste *(comprenant enfin)* – Oh ! mais ce n'est pas des ficelles *(se reprenant)*, non, difficile.
Clown – Alors, tu veux jouer avec moi ?
Auguste – D'accord, d'accord, d'accord. *(En aparté, au public)* Moi, je suis un malin, je dirai toujours oui.
Clown – Veux-tu parier 10 francs ?
Auguste *(content de l'aubaine)* – Oh ! oui, alors !
(Le clown et l'auguste misent chacun 10 francs, dans une enveloppe.)
Clown – Bien. Tu es prêt ?
Auguste – Oui, oui, oui.
Clown – Tu te sens vraiment prêt ?
Auguste *(sûr de lui)* – Oui, oui, oui.
Clown – Tu veux que l'on commence le jeu ?
Auguste – Oui, oui, oui, oui.

Clown *(sur le ton du secret)* – Au fait, connaissais-tu déjà le jeu ?

Auguste – Non…???!!!

Clown *(prenant un temps)* – …Eh bien, tu as perdu.

(Il empoche l'argent du pari et sort.)

Auguste.

Clown.

▼ Qui sont les deux personnages de cette pièce ?

▼ Qui propose un jeu ?

▼ Quel est le nom de ce jeu ? Explique ses règles.

▼ Est-ce qu'Auguste s'attendait à perdre ? Explique ta réponse.

Pour faire un bon petit chaperon...

Christian Jolibois et Romain Drac, *Mille Ans de théâtre*, Milan.

Le Petit Chaperon rouge *est un conte écrit par Charles Perrault. Dans cette pièce, on imagine que les personnages vivent vraiment et discutent avec l'auteur.*

Scène 5
Marie-Jeanne, Mère-grand, Charles Perrault

Le Petit Chaperon rouge arrive à la maison de Mère-grand et frappe à la porte.

Chaperon rouge – Toc ! toc !
Mère-grand – Qui est là ?
Chaperon rouge – C'est le Petit Chaperon rouge, qui vous apporte une marmite de choucroute et un petit pot de moutarde que ma mère vous envoie.
Mère-grand – De la choucroute ? De la moutarde ? Avec des saucisses ? Alors, vite, tire la chevillette, la bobinette cherra.
Chaperon rouge *(Il tente d'ouvrir la porte.)* – Ça marche pas !

Mère-grand – Mais tire la chevillette, la bobinette cherra !

Chaperon rouge – C'est coincé, Mère-grand.

(Le Petit Chaperon rouge donne des coups dans la porte.)

Mère-grand – Tu es folle, arrête, tu vas me casser la porte !

(La Mère-grand passe par la fenêtre.) Mais qui m'a mis une brise-fer pareille ? Attends, je vais te montrer ! *(Joignant le geste à la parole.)* Tu tires la chevillette et la bobinette... mais qu'est-ce qu'elle a cette bobinette... tu vas choir oui !

(La Mère-grand s'énerve et ouvre la porte d'un grand coup de pied.) Tu vois, ça marche !

Illustration de R. André.

une brise-fer : *une enfant qui casse tout.*

Noir

▼ Qui sont les personnages de cette scène ?

▼ Cette scène te rappelle peut-être une histoire que tu connais. Quelles sont les ressemblances et les différences avec cette histoire ?

▼ Cette scène te paraît-elle drôle ? Pourquoi ?

▼ Imagine ce que Charles Perrault peut dire à la suite de ce dialogue.

Le baptême de l'air

François Fontaine, *Des Sketches à lire et à jouer pour les 5-8 ans*, Retz.

La scène se passe dans un avion entre une hôtesse de l'air et un passager.

Le passager – Mademoiselle, s'il vous plaît !
L'hôtesse – Oui, monsieur, vous avez besoin de quelque chose ?
Le passager – Je ne sais pas, je ne me sens pas très bien.
L'hôtesse – C'est la première fois que vous prenez l'avion ?
Le passager – Oui. Je crois que j'ai le mal de mer.
L'hôtesse *(En riant.)* – Vous ne pouvez pas avoir le mal

La Chauve-Souris de Grandin, 1922, J. H. Lartigue.

de mer, monsieur. Vous n'êtes pas à bord d'un bateau, vous êtes à bord d'un avion !

Le passager – C'est vrai. Je perds la tête ! Je crois que j'ai le mal de l'air.

L'hôtesse *(En riant.)* – Vous ne pouvez pas avoir le mal de l'air non plus, monsieur. Nous n'avons pas encore décollé !

Le passager *(Inquiet.)* – Décoller ? Qu'est-ce que cela veut dire ?

L'hôtesse *(Patiente, comme si elle s'adressait à un enfant.)* – On dit que l'avion décolle quand il quitte le sol et qu'il commence à voler dans le ciel.

Le passager *(Affolé.)* – Dans le ciel ? Mais ça doit être très dangereux !

L'hôtesse *(Rassurante.)* – Mais non ! Je vous assure que vous ne risquez rien. Détendez-vous et attachez votre ceinture.

se détendre : *se reposer, devenir calme.*

Le passager *(Surpris.)* – Ma ceinture ? Pour quoi faire ?

L'hôtesse – Pour vous protéger en cas de problème au décollage.

Le passager *(Soupçonneux.)* – Alors je ne risque rien, mais nous risquons d'avoir des problèmes au décollage. C'est bien cela ?

soupçonneux : *qui se méfie, qui n'a pas confiance.*

L'hôtesse – Mais non. Soyez tranquille, tout est prévu.

Le passager – Bon. Donnez-moi quand même un parachute. Je me sentirai plus tranquille.

L'hôtesse – Un parachute ? Mais il n'y en a pas !

Le passager *(Affolé.)* – Comment ? Il n'y a pas de parachute ? Et vous osez me dire que tout est prévu ?
L'hôtesse – Je vous dis que vous n'avez aucune raison d'avoir peur. Regardez-moi. Est-ce que j'ai peur ? Et pourtant je prends l'avion tous les jours.
Le passager – Tous les jours ?
L'hôtesse – Tous les jours. Et même quelquefois la nuit.
Le passager – La nuit aussi ? Quel courage !
L'hôtesse – Mais non ! J'ai l'habitude, c'est tout...
(Elle fait mine de s'en aller.)

faire mine : *faire semblant.*

Le passager *(La rappelant.)* – Mademoiselle, s'il vous plaît.
L'hôtesse – Quoi encore ?
Le passager – Vous ne voulez pas rester assise à côté de moi pendant le décollage ?
L'hôtesse – En voilà une idée ! Et pour quoi faire ?
Le passager *(Penaud.)* – Pour me tenir la main. Je crois que j'aurais moins peur si vous me teniez la main.

penaud : *honteux.*

L'hôtesse – Mais, monsieur, je dois aussi m'occuper des autres passagers. Vous n'êtes pas tout seul dans cet avion !
Le passager – Mais si, je suis tout seul !
L'hôtesse – Que voulez-vous dire ? Regardez autour de vous : l'avion est plein !
Le passager *(Geignard.)* – Il est plein de gens qui ont l'habitude de prendre l'avion ! Et moi, je suis tout seul à avoir peur !

geignard : *qui se plaint, qui pleurniche.*

L'hôtesse – Ah ! Quel enfant ! Bon, donnez-moi votre main. *(Elle s'assied à côté du passager. Puis, sur le ton de la moquerie) :* Vous ne voulez pas non plus que je vous raconte une histoire, par hasard ?

Le passager *(Béat.)* – Oh ! oui. S'il vous plaît.

béat : *très content.*

Meeting d'aviation à Nice, affiche.

▼ Que se passe-t-il au début de la pièce ?

▼ Est-ce que le passager a toujours peur à la fin de la pièce ?

▼ Relève les mots qui montrent comment est l'hôtesse. Que penses-tu de son caractère ?

▼ À ton avis, est-ce que le passager a raison d'avoir aussi peur ?

Le dessert

Blanchette Marcorelles, *Nouvelles Comédies pour enfants*, Éditions Blanchette Marcorelles.

Comédie en un acte d'après une histoire vécue.

Durée : *cinq minutes.*

Quatre acteurs :

- Le cuisinier (ou la cuisinière)

- Le serveur (ou la serveuse)

- Le mari et la femme

Mise en scène : *dans un restaurant; le cuisinier est à gauche, derrière une table; le mari et la femme, à droite, sont en train de déjeuner.*

Matériel : *sur une table, les ustensiles de cuisine avec lesquels le cuisinier fait semblant de travailler – 2 verres et 2 assiettes.*

La femme – C'était très bon, cette sole grillée.

Le mari – Le poulet était un peu fade.

(Le serveur retire les assiettes.)

La femme – Qu'est-ce que vous avez comme dessert ?

Le serveur – Je ne sais pas ; je vais voir. *(Il se dirige vers le cuisinier.)* Qu'est-ce qu'il y a comme dessert ?
Le cuisinier – Des gâteaux !
(Le serveur revient vers les clients.)
Le serveur – Des gâteaux !
Le mari – Quels gâteaux ?
Le serveur – Je ne sais pas ; je vais voir. *(Toujours le même jeu ; le serveur va vers le cuisinier, puis vers les clients.)* Quels gâteaux ?
Le cuisinier – Des tartes !
Le serveur *(Aux clients.)* – Des tartes !
La femme – Des tartes à quoi ?
Le serveur – Je ne sais pas ; je vais voir. *(Au cuisinier.)* Des tartes à quoi ?
Le cuisinier – Aux fruits !
Le serveur *(Aux clients.)* – Aux fruits !
Le mari – Quels fruits ?
Le serveur – Je ne sais pas ; je vais voir. *(Au cuisinier.)* Quels fruits ?
Le cuisinier – Des pommes !
Le serveur *(Aux clients.)* – Des pommes !
Le mari – Alors, deux tartes aux pommes, s'il vous plaît !
Le serveur *(Au cuisinier.)* – Deux tartes aux pommes, s'il vous plaît !
Le cuisinier – Nature, ou bien flambées au rhum ?

flambées :
arrosées d'alcool que l'on fait brûler (après, il n'y a plus d'alcool).

LE CUISINIER

Le serveur – Je ne sais pas ; je vais voir.
(Aux clients.) Nature, ou bien flambées au rhum ?
La femme – Flambées au rhum !
Le mari – Vous pouvez les faire flamber devant nous ?
Le serveur – Je ne sais pas ; je vais voir.
(Au cuisinier.) Les tartes, vous les faites flamber à la cuisine, ou bien devant les clients ?
Le cuisinier – Nulle part ! Je n'ai plus de rhum !
Le serveur *(Aux clients.)* – Le chef n'a plus de rhum.
Le mari – Ah, j'en ai assez de cette comédie !
La femme – Apportez-nous vite deux tartes nature.
Le serveur *(Au cuisinier.)* – Deux tartes nature.
Le cuisinier – Pour la fournée d'aujourd'hui, c'est terminé. Il y en aura des fraîches demain.
Le serveur *(Aux clients.)* – Pour la fournée d'aujourd'hui, c'est terminé. Il y en aura des fraîches demain.
(Les clients se lèvent furieux.)
Le mari – Bien ! Et pour la note, on peut aussi payer demain ?
Le serveur – Je ne sais pas ; je vais voir. *(Au cuisinier.)* Et pour la note, on peut payer demain ?
Le cuisinier – Ah, non ! *(Il se précipite, les poings sur les hanches ; mais trop tard, les clients se sont sauvés.)*

une comédie : *une mauvaise farce, une tromperie.*

une fournée : *une quantité que l'on fait cuire en même temps dans un four.*

▼ Qui sont les personnages ? Où se passe la pièce ?
▼ Si tu veux jouer la pièce, de quel matériel as-tu besoin ?
▼ Un des personnages de la scène répète toujours la même phrase. Pourquoi ?
▼ Pourquoi les clients sont-ils très en colère ?

Le copieur

Christian Lamblin, *Petites Comédies pour les enfants de 7 à 11 ans*, Retz.

Deux élèves, assis à côté l'un de l'autre, travaillent sur leur cahier.

1er élève :

– Oh là là ! Drôlement dur, ce contrôle de maths ! Je n'arrive même pas à comprendre la première question ! *(Il se penche sur son cahier.)*
2 +…, 2 +…, 2 + 2… égale…
(Il se gratte la tête, l'air perplexe, essaie de compter sur ses doigts, sans réussir. Il observe son voisin, qui, lui, remplit sérieusement son cahier. Il prend un air impressionné et fait une mimique pour exprimer son admiration. Puis il pousse son voisin du coude.)
Psittt… 2 + 2, ça fait combien ?
(Pas de réponse, il recommence un peu plus fort.)
Psittt… 2 + 2, ça fait combien ?

2e élève, *qui lève enfin la tête :*

– Je veux bien te répondre, mais à une condition ! Tu me donneras une pomme !

1er élève :

– D'accord ! Alors, ça fait combien 2 + 2 ?

2e élève :

– Ça fait deux millions six cent quarante-trois mille cinq cent douze !

1er élève, *qui a un air effaré :*

– Tu en es sûr ?

perplexe : *qui hésite, qui ne sait pas quoi penser.*

une mimique : *une expression du visage qui montre ce que l'on pense.*

effaré : *étonné, très surpris.*

2e élève :

– Oui ! *(L'élève commence à écrire le nombre en tirant la langue. Arrivé au bout de la feuille, il continue sur la table, puis sous la table.)*

1er élève :

– Eh bien ! il est drôlement long, ce nombre ! Bon, passons à la seconde opération. Voyons 9 moins… 9 moins 6… Ça fait combien 9 moins 6 ? *(Il regarde au plafond et a l'air complètement dépassé par la situation. Il compte sur ses doigts, sans succès. Il s'adresse de nouveau à son voisin.)* Psittt… 9 moins 6, ça fait combien ?

Henri Geoffroy, *La Classe enfantine*, 1889.

2e élève, *exaspéré :*

– Si je te donne la réponse, tu me donneras un chewing-gum ?

exaspéré : *très énervé.*

1er élève :

– C'est promis ! Alors, ça fait combien 9 moins 6 ?

2e élève :

– 9 moins 6, ça fait croute croute pouèt !

1er élève, *de nouveau effaré :*

– Croute croute pouèt ?! Qu'est-ce que c'est que ça ?

2e élève :

– C'est un signe mathématique !

1er élève, *complètement ahuri (mimique signifiant « Qu'est-ce qu'il est fort, celui-là ! ») :*

– Eh bien ! Tu en sais des choses, toi ! Heureusement que je me suis assis à côté de toi ! *(L'autre rigole en douce.)* Au fait, comment ça s'écrit, croute croute pouèt ?

ahuri : *très étonné.*

2e élève :

– Comme ça se prononce ! Croute… croute… et pouèt !

(L'autre écrit en tirant la langue. Il hésite sur l'orthographe de pouèt. Il lève le nez en l'air et prononce le mot de différentes façons : poaite, pouyette, pouuuuéteu… Finalement, il l'écrit d'un air désabusé, avec une expression signifiant : « Si c'est pas ça, tant pis ! »)

d'un air désabusé : *sans y croire.*

1er élève :

– Et voilà ! J'ai terminé ! Grâce à toi, je vais avoir une super note !

2e élève :

– Sûrement ! Mais n'oublie pas que tu me dois une pomme !

1er élève :

– Tu as raison ! *(Il fouille dans sa poche et en sort une pomme de terre.)* Tiens, la voici !

2e élève :

– Non mais, dis donc ! Tu exagères ! Je t'ai demandé une pomme, pas une pomme de terre ! Et mon chewing-gum, tu me le donnes ?

1er élève :

– Bien sûr ! Le voici ! *(Il sort un chewing-gum de sa bouche.)*

2e élève :

– Oh ! tu es dégoûtant ! La prochaine fois, ne compte pas sur moi pour te souffler les bonnes réponses !

1er élève :

– Tes bonnes réponses, tu peux te les garder ! Je suis peut-être nul en maths, mais je ne suis pas idiot !

(Le deuxième élève sort de scène, furieux. L'autre le suit lentement. Avant de sortir, il s'adresse au public.)

Un bon conseil ! Avant de vous moquer de quelqu'un, réfléchissez ! On ne sait jamais à qui on a affaire ! Et on a parfois des surprises !

Robert Doisneau, *L'Information scolaire*, 1959.

▼ À quoi vois-tu que ce texte est une pièce de théâtre ?

▼ À quoi sert le texte qui est entre parenthèses ?

▼ À ton avis, qui veut tromper l'autre au début ?

▼ Qui se moque de l'autre à la fin ? Trouve dans le texte les phrases qui le montrent.

Le Pitalugue

Marcel Pagnol, *Fanny*, Éditions Bernard de Fallois.

La scène se passe à Marseille. Monsieur Brun vient d'acheter un bateau. Il vient choisir des voiles dans le magasin de Panisse.

Acte II, scène 3 (extrait)

Panisse *(un peu ennuyé)* – Té, bonjour César !
César – Bonjour, messieurs !
M. Brun – Bonjour, César !
César – Vous achetez des voiles, monsieur Brun ?
M. Brun – Je fais choix d'une voilure pour mon bateau.
César – Vous avez acheté un bateau ?
M. Brun – Je viens d'acheter le *Pitalugue*, sur les conseils de maître Panisse.
César *(stupéfait)* – Le *Pitalugue* ? Le grand canot blanc ?
M. Brun – Oui. Vous le connaissez ?
César – Vous pensez si je le connais ! Mais tout le monde le connaît, ici. C'est l'ancien bateau du docteur Bourde. Depuis, il a eu au moins quinze propriétaires !
Panisse *(il fait signe à César de se taire)* – Allons, César, allons !
M. Brun – Ah ! C'est curieux.

la voilure : *toutes les voiles d'un bateau.*

Paul Signac, *Voiliers dans le port de Saint-Tropez.*

César *(goguenard)* – Oui, c'est curieux. Mais le bateau lui-même est encore bien plus curieux.

goguenard : *moqueur.*

M. Brun – Et pourquoi ?

César *(à Panisse)* – Comment, tu ne l'as pas averti ?

M. Brun – Mais de quoi ?

César rit.

Panisse *(gêné)* – Écoutez, monsieur Brun. J'ai peut-être oublié de vous dire qu'il est un peu jaloux.

M. Brun – César est jaloux ?

Panisse – Non, le bateau est jaloux. Ça veut dire qu'il penche facilement sur le côté, vous comprenez ?

M. Brun *(inquiet)* – Et il penche… fortement ?

Panisse *(confiant)* – Non, monsieur Brun. Non.

César – C'est-à-dire que quand on monte dessus, il chavire, mais il ne fait pas le tour complet, non ! Dès qu'il a la quille en l'air, il ne bouge plus. Il faut même une grue pour le retourner du bon côté.

la quille : *le fond du bateau.*

M. Brun – Oh ! mais dites donc ! Et ça lui arrive souvent ?

Panisse – Mais non, monsieur Brun. Mais non !

César – C'est-à-dire que ce bateau est célèbre pour ça depuis ici jusqu'à la Madrague et qu'on l'appelle *Le Sous-Marin*.

Van Dongen, *Hiver à Cannes*.

▼ Qui achète le *Pitalugue* ?

▼ Est-ce que monsieur Brun est en train de faire une bonne affaire ? Explique ta réponse.

▼ Pourquoi Panisse est-il gêné ?

▼ Tu ne connais pas la fin de l'histoire. À ton avis, que va-t-il se passer ?

Le Bourgeois gentilhomme

Molière, *Le Bourgeois gentilhomme*.

Monsieur Jourdain veut devenir quelqu'un de très savant. Le maître de philosophie lui apprend l'orthographe. Il commence par apprendre à dire les voyelles : A, E, I, O, U.

Représentation à Versailles, gravure du XVIIe siècle.

Acte II, scène 4 (extrait)

Maître de philosophie

La voix A se forme en ouvrant fort la bouche : A.

une voix : *une voyelle.*

Monsieur Jourdain

A, A, oui.

Maître de philosophie
La voix E se forme en rapprochant la mâchoire d'en bas de celle d'en haut : A, E.

Monsieur Jourdain
A, E ; A, E. Ma foi, oui. Ah ! que cela est beau !

Maître de philosophie
Et la voix I, en rapprochant encore davantage les mâchoires l'une de l'autre, et écartant les deux coins de la bouche vers les oreilles : A, E, I.

Monsieur Jourdain
A, E, I, I, I, I, I. Cela est vrai. Vive la science !

Maître de philosophie
La voix O se forme en rouvrant les mâchoires par les deux coins, le haut et le bas : O.

Monsieur Jourdain
O, O. Il n'y a rien de plus juste. A, E, I, O, I, O. Cela est admirable ! I, O, I, O.

Maître de philosophie
L'ouverture de la bouche fait justement comme un petit rond qui représente un O.

Monsieur Jourdain
O, O, O. Vous avez raison. O. Ah ! la belle chose que de savoir quelque chose !

Maître de philosophie
La voix U se forme en rapprochant les dents sans les joindre entièrement, et allongeant les deux lèvres en dehors, les approchant aussi l'une de l'autre sans les joindre tout à fait : U.

Monsieur Jourdain
U, U. Il n'y a rien de plus véritable, U.

Maître de philosophie
Vos deux lèvres s'allongent comme si vous faisiez la moue, d'où vient que, si vous la voulez faire à quelqu'un et vous moquer de lui, vous ne sauriez lui dire que U.

faire la moue : *faire une grimace pour montrer que l'on n'est pas content.*

Monsieur Jourdain
U, U. Cela est vrai. Ah ! que n'ai-je étudié plus tôt pour savoir tout cela !

Maître de philosophie
Demain nous verrons les autres lettres, qui sont les consonnes.

- Penses-tu que monsieur Jourdain a vraiment besoin d'apprendre à dire les voyelles ? Explique ta réponse.
- Comment imagines-tu monsieur Jourdain ? Quel est son caractère ?
- Que penses-tu du maître de philosophie ?
- Imagine toutes les grimaces que l'on pourrait faire pour chaque lettre.

Knock

Jules Romains, *Knock*, Gallimard.

Knock est médecin à la campagne. D'après lui, tous les gens en bonne santé ont en fait une maladie, mais ils ne le savent pas. Knock reçoit ici le Tambour, celui qui annonce les nouvelles dans les villages.

Acte XX, scène 20

Knock

De quoi souffrez-vous ?

Le Tambour

Attendez que je réfléchisse ! *(Il rit.)* Voilà.
Quand j'ai dîné, il y a des fois que je sens une espèce de démangeaison ici.
(Il montre le haut de son épigastre.)
Ça me chatouille, ou plutôt ça me grattouille.

une démangeaison : *une envie très forte de se gratter.*

l'épigastre : *la région du ventre.*

la concentration : *une profonde attention.*

Knock, *d'un air de profonde concentration*

Attention. Ne confondons pas. Est-ce que ça vous chatouille, ou est-ce que ça vous grattouille ?

Le Tambour

Ça me grattouille. *(Il médite.)*
Mais ça me chatouille bien un peu aussi.

méditer : *réfléchir profondément.*

Knock

Désignez-moi exactement l'endroit.

Le Tambour
Par ici.

Knock
Par ici… où cela, par ici ?

Le Tambour
Là. Ou peut-être là… Entre les deux.

Knock
Juste entre les deux ?… Est-ce que ça ne serait pas plutôt un rien à gauche, là où je mets mon doigt ?

Le Tambour
Il me semble bien.

Knock
Ça vous fait mal quand j'enfonce mon doigt ?

Le Tambour
Oui, on dirait que ça me fait mal.

Knock
Ah ! ah ! *(Il médite d'un air sombre.)* Est-ce que ça ne vous grattouille pas davantage quand vous avez mangé de la tête de veau vinaigrette ?

Le Tambour
Je n'en mange jamais. Mais il me semble que si j'en mangeais, effectivement, ça me grattouillerait plus.

Knock
Ah ! ah ! très important. Ah ! ah !
Quel âge avez-vous ?

Le Tambour
Cinquante et un, dans mes cinquante-deux.

Knock
Plus près de cinquante-deux
ou de cinquante et un ?

Le Tambour *(Il se trouble peu à peu.)*
Plus près de cinquante-deux.
Je les aurai fin novembre.

Knock *(Lui mettant la main sur l'épaule.)*
Mon ami, faites votre travail aujourd'hui comme d'habitude. Ce soir, couchez-vous de bonne heure. Demain matin, gardez le lit. Je passerai vous voir. Pour vous, mes visites seront gratuites.
Mais ne le dites pas. C'est une faveur.

une faveur : *une chose que l'on ne donne pas souvent.*

une anxiété : *une peur, une appréhension.*

Le Tambour *(Avec anxiété.)*
Vous êtes trop bon, docteur.
Mais c'est donc grave, ce que j'ai ?

Knock
Ce n'est peut-être pas encore très grave.

Affiche du film, 1950.

▼ Est-ce que ton médecin te pose les mêmes questions que Knock ?

▼ Relève dans le texte ce qui montre que le Tambour a peur.

▼ À ton avis, le Tambour est-il vraiment malade ? Explique ta réponse.

Les poésies

Rayon vert

Madeleine Le Floch, in *Petits Contes verts pour le printemps et pour l'hiver*, Éditions Saint-Germain-des-Près.

Le rayon vert a disparu
un soir
entre la mer
et l'horizon
Habite-t-il
d'autres étés ?
S'est-il noyé ?
Se cache-t-il dans l'arc-en-ciel ?

Max Beckman, *Route de campagne, chemin de fer et arc-en-ciel*, 1942.

Ce qui est comique

Maurice Carême, in *La Lanterne magique*, Fondation Maurice Carême.

Savez-vous ce qui est comique ?
Une oie qui joue de la musique,
Un pou qui parle du Mexique,
Un bœuf retournant l'as de pique,
Un clown qui n'est pas dans un cirque,
Un âne chantant un cantique,
Un loir champion olympique.
Mais ce qui est le plus comique,
C'est d'entendre un petit moustique
Répéter son arithmétique.

Gaston Chaissac, *Composition*, 1957.

Le poisson fa

Boby Lapointe, Intersong Paris.

Paul Klee, *Le Poisson d'or*, 1925.

Il était une fois
Un poisson fa.
Il aurait pu être poisson scie,
Ou raie,
Ou sole,
Ou tout simplement poisson d'eau
Ou même un poisson un peu là,
Non, non, il était poisson fa :
Un poisson fa,
Voilà.

Que fait le koala ?

D. Valls, *Phonétines*, Castor Poche, Flammarion.

Picasso, *Le Coq*, 1943.

Que fait le koala
Sur le Titicaca
À côté du coquet
Coquelet sans tracas ?
Des cakes au cacao
Et des crêpes au moka !

Pour qui ?
Pour le coq qui croupit
Sur le mur décrépi
Et la cane accroupie
Près de lui
Ah bon…

Le château de Tuileplatte

Glyraine, in *La Poèmeraie*, A. Got et C. Vildrac, Armand Colin.

Au château de Tuileplatte
La révolution éclate.

J'ai trouvé
Vrai de vrai

Le poulet
Dans le lait

Le lapin
Dans le vin.

Le cochon
Dans le charbon.

Le cheval
Dans le bocal.

Le chevreau
Dans le pot.

Le dindon
Sur l'édredon.

L'hirondelle
Dans le sel

Le pigeon
Dans le son.

La tortue
Dans le bahut.

La grenouille
Dans les nouilles.

La souris
Dans le riz.

Et le chat
Tra la la,
Dans le plat
De rutabaga.

Pierrefonds, dessin aquarellé de Viollet-le-Duc.

Extrait des *Grenouilles qui demandent un roi*, illustration de Benjamin Rabier.

Compèr' qu'as-tu vu ?

Poème populaire,
in *Le Livre d'Or de la poésie française, Pierre* Seghers. ©

Oh, j'ai vu, j'ai vu
Compèr' qu'as-tu vu ?
J'ai vu une vache
Qui dansait sur la glace
À la Saint-Jean d'été
Compèr' vous mentez.

Ah, j'ai vu, j'ai vu
Compèr' qu'as-tu vu ?
J'ai vu une grenouille
Qui faisait la patrouille
Le sabre au côté
Compèr' vous mentez.

Ah, j'ai vu, j'ai vu
Compèr' qu'as-tu vu ?
Ah, j'ai vu un loup
Qui vendait des choux
Sur la place Laborrée
Compèr' vous mentez.

Ah, j'ai vu, j'ai vu
Compèr' qu'as-tu vu ?
J'ai vu une anguille
Qui coiffait une fille
Pour aller la marier
Compèr' vous mentez.

Le hibou et l'hirondelle

Claude Roy, in *Enfantasques*, Gallimard.

– Moi, dit le hibou
à l'hirondelle,
j'ai un beau jabot,
des gants élégants.
Je suis un monsieur
tout à fait sérieux.
Je suis important.

– Moi, dit l'hirondelle
qui file à tire-d'aile
(tu ne la vois pas,
elle est sur le toit)
je vole et je vais
là où il me plaît.
Je suis bien contente
et c'est beaucoup mieux.

Jan van Kessel I, *Concert d'oiseaux.*

Sous le vieux pont

Max Jacob, in *60 Poésies et 60 comptines*, Gallimard.

L'eau, sous le vieux pont,
coule, coule et chante.
L'eau, sous le vieux pont,
berce de son chant
les poissons d'argent.

Paul Cézanne, *Le Pont de Maincy, près de Melun, vers 1879.*

Sapin vert

Gina Chenouard, in *Le Livre des fêtes et des anniversaires,* Les éditions de l'Atelier.

Illustration de Raphaël Kirchner.

Sapins verts dans les bois,
Tout l'hiver tremblent de froid.
Sapins verts dans les rues
Pour Noël ont apparu.
Sapin vert dans la classe
Attend que Pèr' Noël passe.
Sapin vert, l'air rêveur,
S'enguirlande avec des fleurs.
Sapin vert est content
De vivre avec les enfants.
Quand les jouets sont tombés,
Sapin vert veut s'amuser.

Souffle

Pierre Reverdy, in *La Liberté des mers*, Flammarion.

Il neige
sur mon toit et
sur les arbres
Le mur et le jardin
sont blancs le
sentier noir
Et la maison s'est
écroulée
sans bruit
Il neige

Claude Monet, *La Pie*.

Le nuage

Maurice Carême, in *Petites Légendes*, Fondation Maurice Carême.

Un nuage, parmi les autres,
Reforme sans cesse un visage.

Il promène sur les villages
Un regard dont il ne sait rien,
Et s'il sourit au paysage,
Ce sourire n'est pas le sien.

Mais l'homme qui le voit sourire
Et qui sourit à son passage,
En sut-il jamais davantage ?

Frédéric Bazille, *La Robe rose ou Vue de Castelnau le lez*.

Recette

Eugène Guillevic, in *Avec*, Gallimard.

Prenez un toit de vieilles tuiles
Un peu avant midi.

Placez tout à côté
Un tilleul déjà grand
Remué par le vent,
Mettez au-dessus d'eux
Un ciel de bleu, lavé
Par des nuages blancs.

Laissez-les faire.
Regardez-les.

Max Pechstein, *Les toits rouges*, 1911.

Leçon de géographie

Christian Poslaniec, in *Au pays des mille mots*, Milan.

L'océan a peur de moi
Quand il me voit arriver
il se retire très loin.

Je lui parle doucement
d'une voix de coquillage
pour tenter de l'apaiser.

Mais chaque fois c'est pareil :
il me faut au moins six heures
pour enfin l'apprivoiser.

Alors il revient vers moi
et il me lèche les pieds.

Peinture fixée sous verre, Sénégal.

Le vieux et son chien

Pierre Menanteau, in *Ce que m'a dit l'alouette*, Sudel.

S'il était le plus laid
De tous les chiens du monde
Je l'aimerais encore
À cause de ses yeux.

Si j'étais le plus vieux
De tous les vieux du monde
L'amour luirait encore
Dans le fond de ses yeux.

Et nous serions tous deux,
lui si laid, moi si vieux,
Un peu moins seuls au monde
À cause de ses yeux.

Gustave Courbet, *L'Atelier du peintre*.

Pour la liberté

Philippe Soupault, in *Poèmes et poésies*, Grasset.

Laissez chanter
l'eau qui chante
Laissez courir
l'eau qui court
Laissez vivre
l'eau qui vit
l'eau qui bondit
l'eau qui jaillit
Laissez dormir
l'eau qui dort
Laissez mourir
l'eau qui meurt.

Caspar Wolf, *Le Pont du diable, près de Schœllenen*.

Un enfant m'a dit

Alain Bosquet, in *Le Cheval applaudit*. © Alain Bosquet.

Un enfant m'a dit :
« La pierre est une grenouille endormie. »
Un autre enfant m'a dit :
« Le ciel, c'est de la soie fragile. »
Un troisième enfant m'a dit :
« L'océan, quand on lui fait peur, il crie. »
Je ne dis rien, je souris.
Le rêve de l'enfant, c'est une loi.
Et puis, je sais que la pierre,
vraiment, est une grenouille,
mais au lieu de dormir
elle me regarde.

Max Ernst, *Cher Bibi*, bronze patiné vert.

Henri Geoffroy, *Une sortie de classe*, 1888.

L'averse

Francis Carco, in *La Bohème et mon cœur*, Albin Michel.

Un arbre tremble sous le vent.
Les volets claquent.
Comme il a plu, l'eau fait des flaques.
Des feuilles volent sous le vent
Qui les disperse
Et brusquement, il pleut à verse.

Berceuse africaine

Yves Emmanuel Dogbe, in *Anthologie de la poésie togolaise*, Éditions Akpagnon.

Togolo, mon enfant chéri,
Ne pleure pas cette nuit.
Ta voix, de mauvais esprits te la prendront
Aussitôt qu'ils l'entendront.

La jolie feuille est tombée
Et la chèvre l'a mangée.
Que la chèvre sur l'arbre monte
Cueillir une autre feuille verte !

Dors, Togolo, mon enfant chéri,
Dans les bras de ton père.
Ta maman, bien loin est partie ;
Elle ne reviendra que le soir.

La jolie feuille est tombée
Et la chèvre l'a mangée.
Que la chèvre sur l'arbre monte
Cueillir une autre feuille verte !

Peinture fixée sous verre, Sénégal.

En sortant de l'école

Jacques Prévert, in *Histoires*, Gallimard.

En sortant de l'école
nous avons rencontré
un grand chemin de fer
qui nous a emmenés
tout autour de la terre
dans un wagon doré
Tout autour de la terre
nous avons rencontré
la mer qui se promenait
avec tous ses coquillages
ses îles parfumées
et puis ses beaux naufrages
et ses saumons fumés
Au-dessus de la mer
nous avons rencontré
la lune et les étoiles
sur un bateau à voiles
partant pour le Japon
et les trois mousquetaires des
cinq doigts de la main
tournant la manivelle
d'un petit sous-marin
plongeant au fond des mers
pour chercher des oursins
Revenant sur la terre
nous avons rencontré
sur la voie de chemin de fer
une maison qui fuyait
fuyait tout autour de la terre
fuyait tout autour de la mer
fuyait devant l'hiver
qui voulait l'attraper
Mais nous
sur notre chemin de fer
on s'est mis à rouler
rouler derrière l'hiver
et on l'a écrasé
et la maison s'est arrêtée
et le printemps nous a salués
C'était lui le garde-barrière

et il nous a bien remerciés
et toutes les fleurs
de toute la terre
soudain se sont mises à pousser
pousser à tort et à travers
sur la voie de chemin de fer
qui ne voulait plus avancer
de peur de les abîmer

Alors on est revenu à pied
à pied tout autour de la terre
à pied tout autour de la mer
tout autour du soleil
de la lune et des étoiles
À pied à cheval en voiture
et en bateau à voiles.

Izis, *Impasse traînée, Montmartre*, 1950.

Aurai-je le temps…

Pierre Albert-Birot, *Poésie 1945-1967*, Éditions Rougerie.

Aurai-je le temps de voir la nuit
Aurai-je le temps de voir le jour
Aurai-je le temps de voir la fin
du monde
Aurai-je le temps de tout voir
Et d'avoir le temps ?

Kandinsky, *La Nuit*, 1905.

Et demain ?

Jacques Charpentreau, *Et demain ?*,
© Jacques Charpentreau.

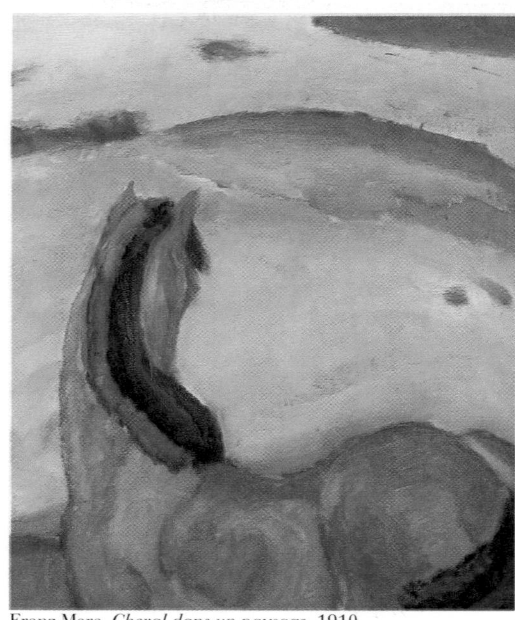

Franz Marc, *Cheval dans un paysage*, 1910.

Hier je fus cheval
Avant-hier oiseau
Encore avant poisson

J'ai galopé dans la prairie
J'ai volé dans le ciel
J'ai nagé dans la mer

Aujourd'hui
Je marche sur la terre
Je regarde le monde
Et je reconnais
L'herbe de la prairie
Les nuages du ciel
Les vagues de la mer

Je rêve et me souviens
De ce que je suis.

L'âge de raison

Georges Jean, *Écrit sur la page*, Gallimard jeunesse

Anonyme, *Deux petites filles sur l'escalier de la plage.*

Quand on a sept ans,
Et qu'on perd ses dents,
On atteint, dit-on,
L'âge de raison.
Alors les parents
Disent : « Il est temps
De devenir grand !
Faites votre lit,
Rangez vos habits,
Soignez vos chaussures,
Et votre coiffure… »

Mais nous on leur dit :
« On n'est pas si bêtes :
On a une couette
Dessus notre lit,
Aux pieds des baskets
Qui sont toujours nettes !
Nos habits sont chouettes
Blue-jean et Ticheurtes
Quant à nos cheveux,
Avec de la colle,
Ils sont super coole… »

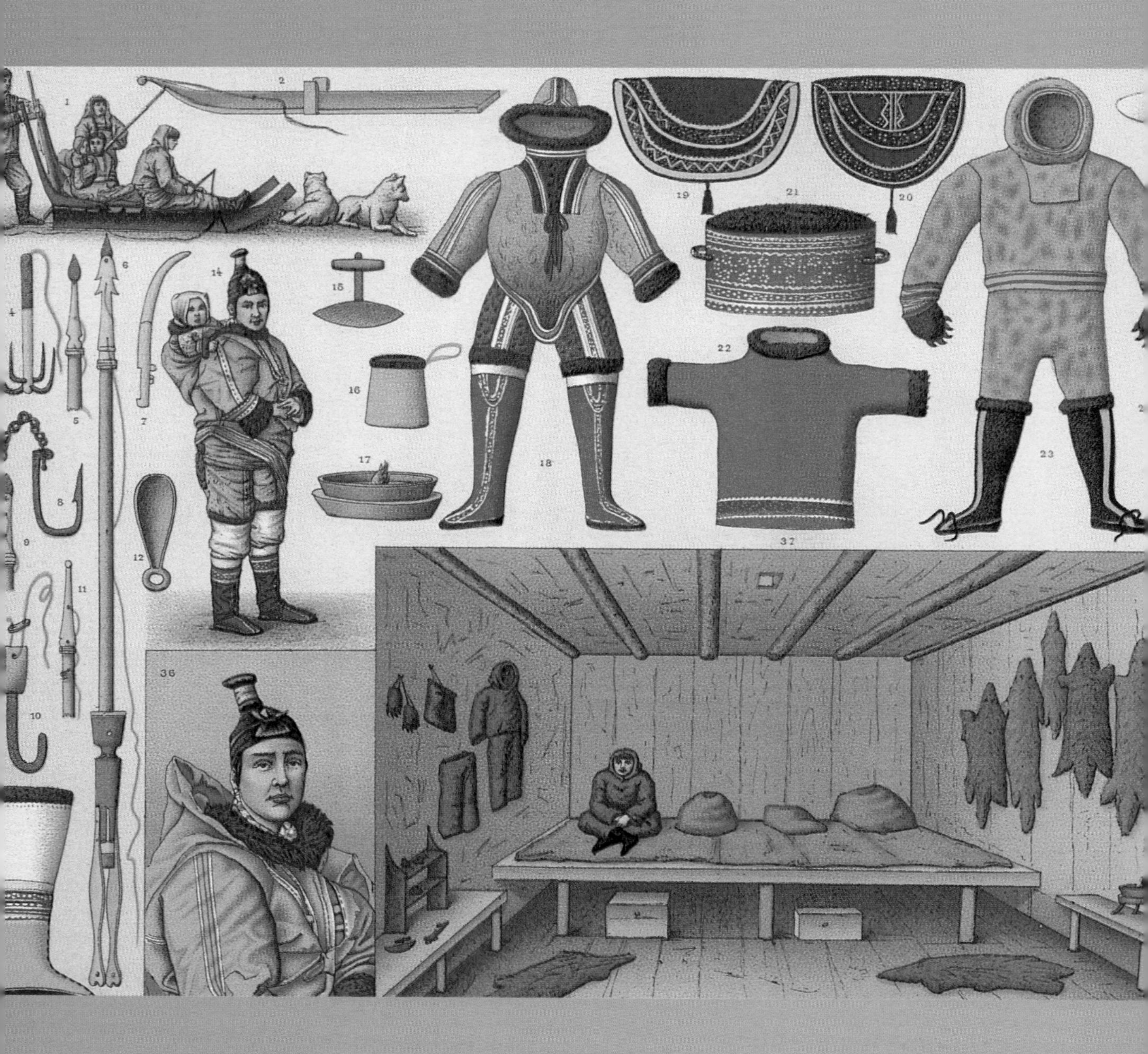

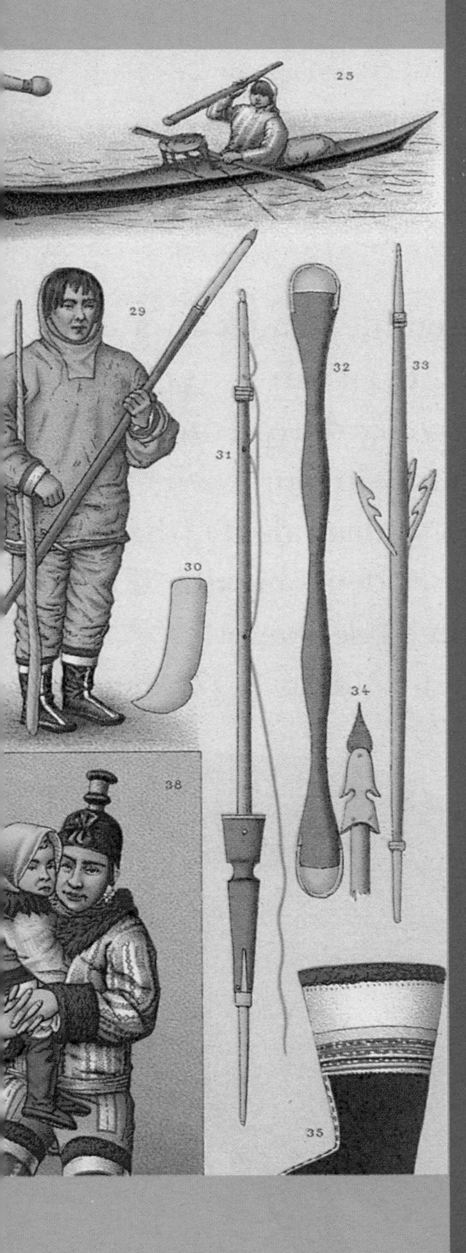

Les documentaires

Les grands méchants loups

Sylvie Girardet, Claire Merleau-Ponty, Anne Tardy, *Les Grands Méchants Loups*, Bayard éditions.

Tête de loup. Un loup ressemble beaucoup à un gros chien (un chien-loup, bien sûr), avec un museau plus fin et de beaux yeux dorés fendus en amande. Sous sa gueule élégante, le loup cache une terrible mâchoire : il a quarante-deux dents (dix de plus que nous !). Il brise avec ses dents la patte d'un grand cerf comme si c'était un os de poulet.

Pour passer inaperçu et se fondre dans le paysage, son pelage varie selon les pays et les saisons. Il est marron-gris, noir, roux, ou même blanc là où il y a de la neige.

passer inaperçu : *ne pas se faire voir.*

Époux et parents modèles. Chez les loups, amour rime avec toujours. Quand ils se marient, c'est pour la vie et quand ils ont des enfants, ils s'en occupent tendrement. Avant la naissance, la mère prépare une tanière qu'elle tapisse de feuilles, de mousse et de poils. Un loup nouveau-né ne pèse pas plus lourd qu'un pamplemousse ! Les bébés loups tètent tout le temps leur mère pendant deux mois. Après quoi, les parents repartent ensemble à la chasse, mais ils confient toujours leurs petits à un loup « baby-sitter ».

rimer : *aller avec.*

une tanière : *un endroit où habitent certains animaux sauvages.*

confier : *donner à garder.*

- Explique avec tes mots à quoi ressemble le loup.
- Pourquoi certains loups ont-ils le pelage blanc ?
- Combien pèse un loup nouveau-né ? Et toi, combien pesais-tu à ta naissance ?
- Comment les loups s'occupent-ils de leurs enfants ?

Avec le gros noyau de l'avocat

Aline Riquier, *Un Jardin dans la maison*, Gallimard.

Il te faut : des cure-dents, un verre d'eau, un pot de terre, du terreau.

Sépare le noyau de la pulpe après avoir coupé l'avocat en deux. Lave-le bien et laisse-le tremper une nuit dans un verre d'eau tiède.

Pique ensuite dedans des cure-dents, et pose-le sur un verre d'eau, la base la plus large en bas, trempant dans l'eau. Place ton verre près d'une fenêtre ensoleillée et maintiens le niveau de l'eau.

Au bout de quelques semaines, tu verras apparaître des racines dans l'eau et une petite pousse à l'autre extrémité : la tige. Bientôt viendront les feuilles.

Plante alors ton noyau dans un pot rempli de terreau, place-le près d'une fenêtre, arrose-le régulièrement et vaporise de temps en temps les feuilles.

Si tu veux que ta plante soit plus fournie, n'hésite pas à couper la tige en son milieu, lorsque celle-ci aura une dizaine de centimètres. Deux ou trois nouvelles tiges pousseront au lieu d'une seule.

la pulpe : *la chair des fruits et de certains légumes.*

à l'autre extrémité : *à l'autre bout.*

fournie : *avec plus de tiges et de feuilles.*

Enfant indien.

▼ Que vas-tu faire le premier jour avec ton avocat ?
▼ Que dois-tu faire le lendemain ?
▼ Combien de temps dois-tu attendre
pour voir apparaître quelque chose ?
▼ Maintenant, rassemble le matériel et à toi de planter !

Vivre au temps jadis

Vivre au temps jadis, Encyclopédie Benjamin, Gallimard jeunesse.

piller : voler.

préserver : garder.

Les châteaux forts nous rappellent une époque pleine de dangers où des brigands et des guerriers pillaient les villes et les campagnes.
Souvent les seigneurs se battaient entre eux et le roi n'était pas assez fort pour préserver la paix.
Aujourd'hui, ces forteresses n'ont plus d'utilité, mais tu vois encore leurs murailles en ruines se dresser sur les collines.

Le Château de Cautrenon, enluminure de Guillaume Revel.

Les premiers châteaux forts ont été construits il y a plus de mille ans.
Au début, c'étaient de simples tours de bois qui étaient souvent détruites par le feu.
Vers le XIIe siècle, on les bâtit en pierre.
Leurs murs avaient parfois huit mètres d'épaisseur.
La construction pouvait durer quarante ans.
Au XVe siècle, les châteaux sont devenus de vrais palais.
Au Moyen Âge, de puissants seigneurs dominaient de vastes régions et faisaient régner leur loi sur leur territoire. Ils possédaient souvent plusieurs châteaux. Celui du roi n'était pas toujours le plus grand.
Voilà pourquoi on trouve des châteaux forts en France, en Angleterre, en Espagne, en Italie, en Suisse, en Allemagne…
Il n'y en a pas deux semblables.
Mais tous ont des remparts solides, des tours et des soldats pour monter la garde.

dominer :
être le maître.

des remparts :
les murs autour du château.

monter la garde :
surveiller.

▼ Quand les premiers châteaux forts ont-ils été construits ?
▼ Pourquoi a-t-on bâti des châteaux forts en pierre ?
▼ À quoi servaient les châteaux forts ? À qui appartenaient-ils ?
▼ Est-ce que l'on construit encore des châteaux forts aujourd'hui ? Explique ta réponse.

L'arc-en-ciel

Jean-Pierre Verdet, *Le ciel, l'air et le vent*, Gallimard jeunesse.

La lumière du soleil nous paraît blanche mais en réalité, elle est composée de différentes lumières colorées.
Lorsqu'un rayon de soleil traverse une goutte d'eau, il est légèrement dévié de sa route. Mais chaque couleur est déviée différemment. C'est pourquoi une goutte d'eau peut séparer la lumière du soleil en plusieurs lumières colorées.
Après l'orage, les millions de gouttes d'eau qui flottent dans l'air donnent un arc-en-ciel. Dans la direction opposée au soleil, le ciel s'orne d'un demi-cercle de toutes les couleurs : rouge, orange, jaune, vert, bleu, indigo et violet.
Si tu places un fin jet d'eau dans la lumière du soleil, tu verras apparaître au travers les couleurs de l'arc-en-ciel.

dévié : *écarté.*

opposée : *contraire.*

Léon de Smet, *L'arc-en-ciel*, 1914.

▼ Combien y a-t-il de couleurs dans l'arc-en-ciel ?
Retrouve leur nom.
▼ Quand voit-on un arc-en-ciel ?
▼ Que se passe-t-il quand un rayon de soleil traverse une goutte d'eau ?

Vivre au Groenland avec les Esquimaux

Bernard Planche, *Vivre au Groenland avec les Esquimaux*, Gallimard jeunesse.

Les Esquimaux vivent surtout de pêche et de chasse, car sur ces plaines glacées, ils ne peuvent cultiver ni fruits ni légumes. Les villages sont petits car il y a peu d'habitants. Les maisons aux couleurs vives égayent le paysage tout blanc. Aujourd'hui, presque tous les villages ont l'électricité.

isoler : *empêcher le froid et le vent de passer.*

Au nord du Groenland, lorsque les chasseurs sont trop loin pour rentrer au village, ils construisent un abri en neige : un igloo. À l'aide d'une scie, ils découpent dans la neige de gros morceaux de glace. Autrefois, ils utilisaient un couteau en os. Ils superposent les blocs en colimaçon, comme la coquille d'un escargot. La neige durcie isole du froid et du vent. Transparente, elle laisse passer la lumière. Dans l'igloo, il fait très clair.

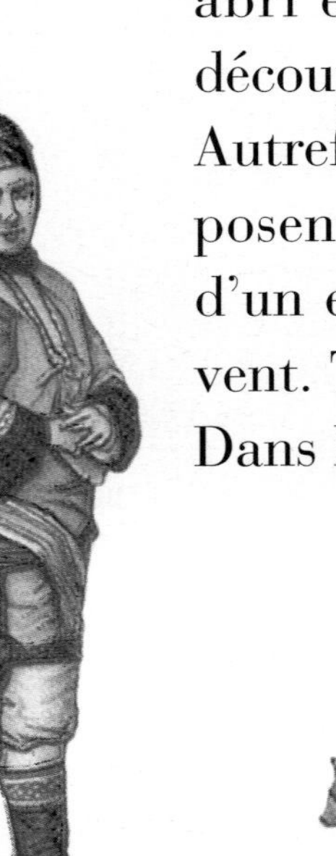

▼ Dans quelle région du monde vivent les Esquimaux ?
Situe cette région sur une carte.

▼ Pourquoi les Esquimaux vivent-ils de pêche et de chasse ?

▼ Est-ce que les Esquimaux habitent toute l'année dans les igloos ?

▼ Relis le texte et raconte avec tes mots comment on construit un igloo.

Au pays des hommes du désert

Jesús Ballar et Conchita Rodriguez, *Au pays des hommes du désert*, Bordas.

Les Touaregs vivent en Afrique, dans le grand désert du Sahara.

Chez les Touaregs, la terre appartient au premier qui la trouve. Alors, ils construisent leurs tentes.
Ils enfoncent des piquets dans le sol, et pour faire le toit, ils en clouent d'autres de travers. Puis, ils recouvrent les piquets de trente ou quarante peaux de chèvres et voilà leur maison. Leurs animaux broutent autour. À la tombée de la nuit, ils les rassemblent dans des enclos pour les protéger des hyènes et des chacals.
Dans le désert, il fait très chaud le jour, mais la nuit peut être très froide. Ifalan vit avec sa mère et ses quatre frères dans une grande tente, ouverte à tous les vents, où ils ne peuvent pas se tenir debout. La famille touareg ne s'enferme pas entre quatre murs. Toutes les portes sont ouvertes. N'importe qui peut entrer et bavarder, partager le lait des chèvres ou le thé qu'ils boivent à toute heure.

brouter : *manger de l'herbe.*

hyènes et chacals : *animaux sauvages.*

Illustration extraite de *L'Algérie, histoire, conquête et colonisation.*

▼ Dans quelle région du monde vivent les Touaregs ?
Situe cette région sur une carte.
▼ Explique avec tes mots comment les Touaregs construisent leurs tentes.
▼ Est-ce que c'est facile d'habiter dans une tente comme celle-là ?
Explique ta réponse.
▼ En t'aidant du texte, imagine la journée d'un Touareg.

Les maisons des animaux au bord de mer

Robert Burton, traduction Sylvie Abou, *Les Maisons des animaux au bord de mer*, Hatier.

la côte : *le bord de mer.*

nicher : *faire son nid.*

la marée : *le mouvement de la mer qui monte et qui descend.*

éclos : *ouverts.*

Si les mouettes rieuses s'appellent comme ça, c'est parce que leur cri ressemble à un éclat de rire. Elles vivent près des côtes où elles cherchent de la nourriture. Elles mangent presque tout ce qu'elles trouvent. Souvent des vers et des petits animaux qui se promènent sur la plage. Les mouettes pêchent aussi les poissons qui nagent à la surface de l'eau. Les couples nichent en hauteur, là où la marée ne pourra pas leur mouiller les pattes. Si les oiseaux vivent en groupes plus importants, on dit qu'ils vivent en colonie. Ils construisent des nids avec des herbes et des algues. La femelle y dépose trois ou quatre œufs. Lorsque les œufs sont éclos, les parents vont chercher de la nourriture pour les oisillons. Ils veillent longtemps sur leurs petits même quand ils savent voler.

- Pourquoi la mouette rieuse s'appelle-t-elle ainsi ? As-tu déjà entendu le cri d'une mouette ?
- Où les mouettes construisent-elles leur nid ? Avec quoi ?
- Que donnent-elles à manger à leurs petits ?
- Qu'est-ce que « vivre en colonie » ? Connais-tu d'autres oiseaux qui vivent en colonie ?

Les microbes me rendent malade

Melvin Berger, traduction Pascale Guinard,
Les microbes me rendent malade, Éditions Circonflexe.

Les microbes sont de microscopiques êtres vivants. Ils sont si petits qu'on ne les voit pas à l'œil nu. Par exemple, une colonie de mille microbes pourrait tenir sur le bout d'un crayon !
Il existe de nombreuses sortes de microbes. Mais les deux qui d'habitude rendent malade sont les bactéries et les virus.
Au microscope, certaines bactéries ont la forme de petites billes rondes. D'autres sont raides comme des baguettes. D'autres encore ont la forme de spirales.
Les virus sont beaucoup plus petits que les bactéries. Certains ressemblent à des ballons dans lesquels on aurait planté une multitude d'épingles.
D'autres ont la forme de miches de pain, ou encore de têtards.
Il y en a même qui ressemblent à des espèces de vis en métal avec des pattes d'araignées.
Les bactéries et les virus sont des microbes que l'on

microscopiques :
très très petits.

une colonie :
un groupe.

un microscope :
un appareil qui grossit les choses qu'on ne peut pas voir à l'œil nu.

une multitude :
beaucoup.

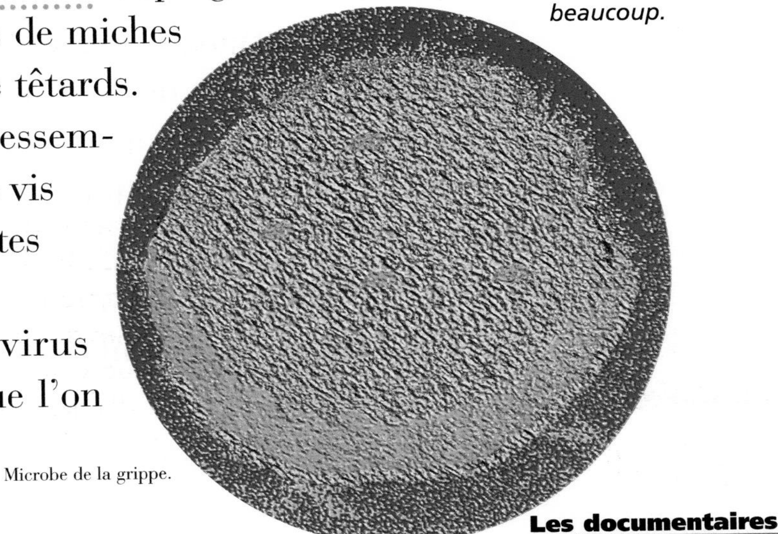

Microbe de la grippe.

rencontre partout : il y en a dans l'air que tu respires, dans les aliments que tu manges, dans l'eau que tu bois, et sur tout ce que tu touches.
Bien que nous soyons entourés de microbes, ils ne nous rendent pas toujours malades. En effet, beaucoup de microbes sont inoffensifs. Et puis, la plupart du temps, notre organisme les repousse.
Notre peau arrête les microbes.
Tant que nous n'avons ni coupures ni égratignures sur la peau, les virus et les bactéries ne peuvent pas passer.
Le nez aide aussi à arrêter les microbes : l'intérieur de nos narines est couvert de poils minuscules. Ces poils attrapent une grande partie des germes que nous respirons et les rejettent dehors. L'intérieur de notre bouche et de notre gorge est toujours humide. Souvent, les microbes y restent coincés. Ils ne vont pas plus loin.
Cependant, de temps à autre, les microbes réussissent à passer. Par exemple, ton meilleur ami est enrhumé. Quand il éternue, les microbes s'envolent dans l'air. Et c'est justement l'air que tu respires. Quelques-uns des microbes de ton ami risquent donc d'entrer dans tes poumons.

inoffensifs :
qui ne peuvent pas faire de mal.

l'organisme :
le corps.

un germe :
ici, un microbe.

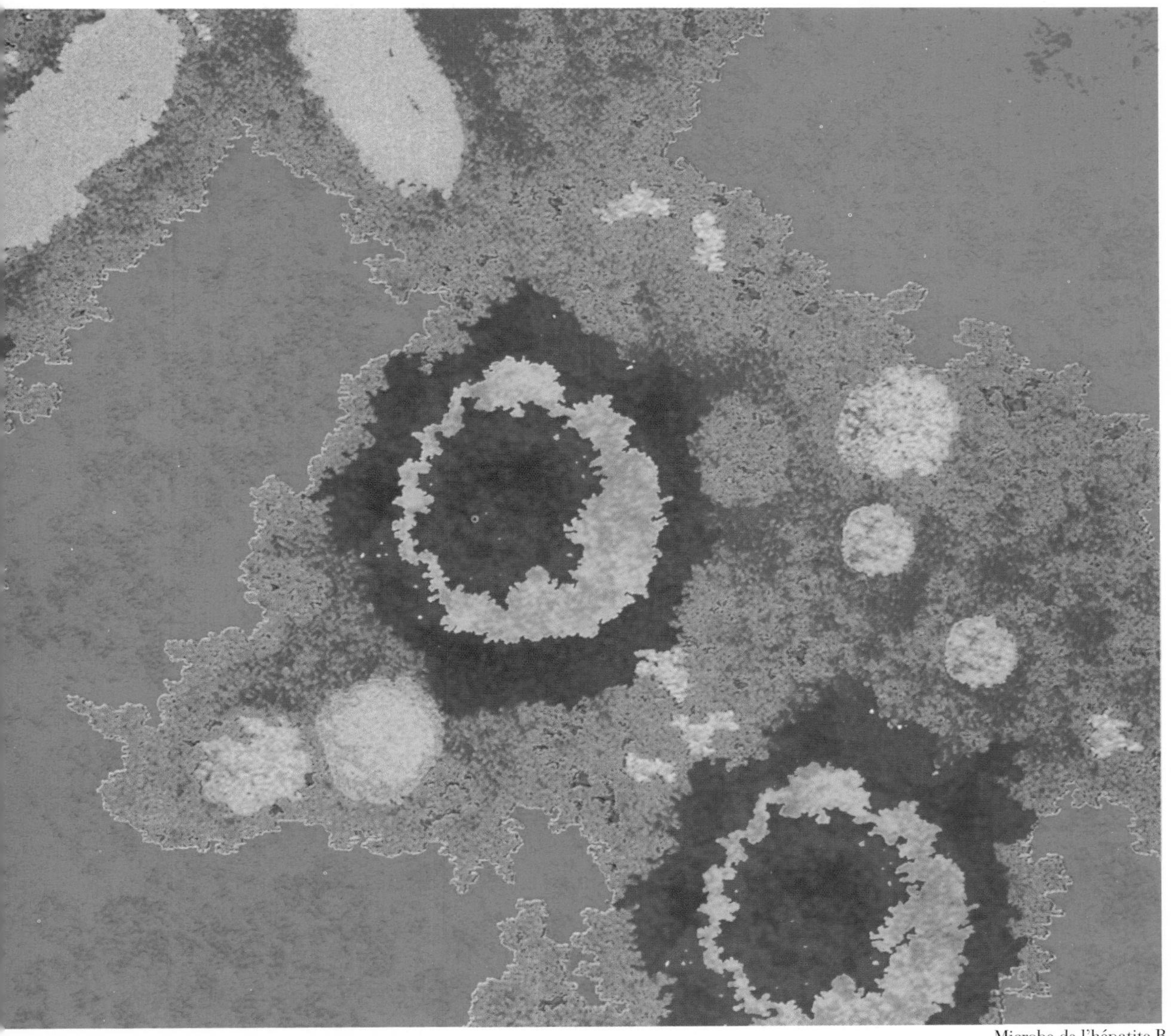

Microbe de l'hépatite B.

▼ En t'aidant du texte, explique ce qu'est un microbe.
▼ Où se trouvent les microbes ?
▼ Quelle forme ont-ils ?
▼ Est-ce que nous sommes malades chaque fois que nous « rencontrons » un microbe ? Pourquoi ?

On a marché sur la Lune

Jean-Pierre Verdet, *L'Univers*, Larousse.

se réaliser : *devenir vrai.*

un astronaute : *un homme qui va dans l'espace.*

une jeep : *une voiture tout terrain.*

Le 21 juillet 1969, le rêve se réalise : devant des millions de téléspectateurs, les Américains Armstrong et Aldrin posent le pied sur le sol de la Lune. Ils vont y planter le drapeau de leur pays, l'Amérique, y recueillir des cailloux et y déposer des appareils pour enregistrer les tremblements de Lune.
Entre 1969 et 1972, sept fusées ont emmené des astronautes américains explorer la Lune.
La mission Apollo 15 a été la première à déposer le Lunar Rover sur la Lune. Cette jeep lunaire pesait 200 kg, parcourait une centaine de kilomètres à 17 km/h. Les astronautes ont rapporté près de 400 kg de cailloux et de poussières.

- Quand les hommes ont-ils marché sur la Lune pour la première fois ?
- Comment s'appellent ces hommes ? Quel est leur métier ?
- Qu'est-ce que les Américains ont laissé sur la Lune ? Qu'ont-ils rapporté sur la Terre ?
- Pourquoi marcher sur la Lune était-il un rêve ? Explique ta réponse.

Neil Armstrong marche sur la Lune, 1969.

La première séance

Il était une fois le cinéma, Gallimard Jeunesse.

Louis et Auguste Lumière étaient deux frères inséparables. Ensemble, ils ont inventé le cinématographe qui deviendra le cinéma.

28 décembre 1895. Dans le salon indien du Grand Café, boulevard des Capucines, à Paris, les trente-trois invités des frères Lumière vont assister à un extraordinaire spectacle. Sur un petit écran, une photographie qui vient d'être projetée s'anime soudain ! Voitures, chevaux, passants se mettent en marche ; toute la vie d'une rue apparaît. « À ce spectacle, nous restâmes bouche bée, frappés de stupeur », déclarera le célèbre prestidigitateur Georges Méliès. L'invention va bientôt attirer les foules et faire le tour du monde. Le 29 juin 1896, le public américain acclame l'appareil français. Un mois plus tard, c'est au tour des Russes. La grande aventure du cinéma ne fait que commencer.

projeter :
faire apparaître des images sur un écran avec un projecteur.

la stupeur :
un étonnement très grand.

un prestidigitateur :
un homme qui fait des tours de magie.

attirer les foules :
intéresser beaucoup de gens.

Affiche de Brissot, 1895.

- Qui a inventé le cinéma ? Quand ?
- À quel spectacle ont assisté les trente-trois invités des frères Lumière ?
- Pourquoi les spectateurs sont-ils restés bouche bée ?
- Est-ce qu'une séance de cinéma te paraît extraordinaire ? Explique ta réponse.

Regarde avec Arcimboldo

Caroline Blanc, *Regarde avec Arcimboldo*, Gamma Jeunesse.

Arcimboldo naît à Milan en 1527. Il devient un artiste très célèbre. L'empereur d'Autriche-Hongrie l'admire beaucoup.

Au bout de quelque temps, Arcimboldo ne trouve plus d'intérêt à faire des portraits comme tout le monde ; dans les couloirs du palais, le bruit court qu'il prépare quelque chose d'extraordinaire.
Enfin le jour de la surprise arrive ; toute la Cour est réunie ; Arcimboldo présente à l'empereur les portraits des quatre saisons : le printemps, l'été, l'automne et l'hiver.
L'empereur est abasourdi. Quelle est cette nouvelle extravagance ? Comment peut-on faire les portraits des saisons ?
Arcimboldo explique à l'empereur que chaque saison est représentée par une tête composée des éléments de la nature qui caractérisent cette saison ; par exemple la figure de l'automne est faite de raisins, de poires, de pommes, de champignons, de châtaignes qui poussent à cette saison.
On appelle cela des allégories.

un portrait :
un tableau qui représente une personne.

le bruit court :
on entend dire.

abasourdi :
très étonné.

une extravagance :
une chose bizarre, extraordinaire.

La Cour est stupéfiée ; l'empereur s'amuse à reconnaître les fruits et les graines qui font la figure réjouie de l'été ; il s'attriste devant la pauvre figure de l'hiver et sourit devant la jeunesse du printemps.
Tous admirent le travail précis et soigné de ces peintures uniques.
L'empereur commande tout de suite à Arcimboldo une autre série de ces portraits des saisons.

stupéfiée : *très étonnée.*

Arcimboldo, *L'Été*, 1573.

Arcimboldo, *L'Automne*, 1573.

▼ Qui est Arcimboldo ?

▼ Pourquoi les tableaux d'Arcimboldo sont-ils extraordinaires ?

▼ Comme l'empereur, retrouve les fruits et les graines du tableau *l'Été*. Est-ce que l'on trouve ces fruits en cette saison ?

▼ Observe le portrait de *l'Automne* et le portrait de *l'Été*. Compare-les.

Les histoires

Mini-Loup, le petit loup tout fou

Philippe Matter, Evelyne Lallemand, *Mini-Loup, le petit loup tout fou*, Hachette Jeunesse.

un sourire jusqu'aux oreilles : *un sourire qui montre que l'on est très content.*

Ce lundi-là, Mini-Loup s'approche de la ferme avec un sourire jusqu'aux oreilles.
Quand il voit le cheval, il se dit : « Tiens, le cheval mange son avoine, mais ça ne va pas durer… »
Il ouvre grand la bouche, et il pousse le cri qu'il aime le plus au monde :

« Ouh ! »

Le Coupage du lait, illustration de Benjamin Rabier.

Et le cheval tombe à la renverse. Mort de peur !
Et Mini-Loup tombe sur le derrière. Mort de rire !
Le mardi, Mini-Loup revient à la ferme.
Il se dit : « Tiens, la vache est en train de ruminer, mais ça ne va pas durer… »
Il ouvre grand la bouche, et il pousse le cri qu'il aime le plus au monde : « Ouh! »

Et la vache tombe à la renverse. Morte de peur !
Et Mini-Loup tombe sur le derrière. Mort de rire !
Le mercredi, que fait Mini-Loup ? Il revient, bien sûr, à la ferme.
Et quel cri pousse-t-il ? Celui qu'il aime le plus au monde, bien entendu : « Ouh! »

Et le cochon cesse de se rouler dans la boue.
Il tombe à la renverse. Mort de peur !
Et Mini-Loup cesse de crier « Ouh ! ».
Il tombe sur le derrière. Mort de rire.
Le jeudi, Mini-Loup est de nouveau à la ferme.
« Tiens, le coq dort, se dit-il. Mais ça ne va pas durer… »
Il ouvre grand la bouche, et il pousse le cri qu'il aime le plus au monde : « Ouh! »

Et le coq tombe à la renverse. Mort de peur !
Et Mini-Loup tombe sur le derrière. Mort de rire !

tomber à la renverse : *tomber sur le dos.*

ruminer : *pour la vache, mâcher l'herbe qu'elle a avalée.*

Le vendredi, Mini-Loup a une drôle d'idée. Il crie à la poule qui couve :

« Haut les mains ! Peau de lapin ! »

Et, bien sûr, la poule ne tombe pas à la renverse.
Non ! Elle tombe pile sur le menton.
Mini-Loup, lui, fait des yeux ronds.
Car, sur la paille, sous son nez et derrière la porte, quelque chose bouge, se craquelle, se fendille…
Il sort soudain une petite bête de la chose qui bouge, se craquelle, se fendille et… pic ! pic ! pic !
La petite bête picote le bout du nez de Mini-Loup.
« Ouh ! Ouille ! Ouille ! » hurle-t-il.
« Ha ! Ha ! Ha ! », rient en chœur le poussin, la poule, le coq, le cochon, la vache et le cheval.
Ils ne sont plus morts de peur, mais morts de rire.
« Au secours ! » crie Mini-Loup en les voyant se précipiter sur lui.
Et comme il n'est plus mort de rire, mais mort de peur, il prend ses jambes à son cou.

se craqueler, se fendiller : *s'ouvrir doucement.*

prendre ses jambes à son cou : *se sauver le plus vite possible.*

Il court, il court, mais un peu plus loin…

Plouf !

Il tombe dans la mare.
Il en sort à toute vitesse, et rentre chez lui, trempé, mouillé et… mort de honte !
Le samedi, il reste chez lui.
Toujours mort de honte !
Le dimanche, il reste encore chez lui.
Mais un peu moins mort de honte.
Et le lundi…
À ton avis, que fait ce petit loup tout fou ?

relis mon histoire !!!

▼ Fais la liste de tous les animaux que Mini-Loup va voir.
Est-ce qu'il se passe la même chose avec tous les animaux ?
▼ Comment Mini-Loup passe-t-il le samedi et le dimanche ?
▼ À ton avis, que fait Mini-Loup le lundi suivant ?
▼ Est-ce que cette histoire te fait rire ? Explique ta réponse.

Gargantua

Bernard Briais et Francis Phillips, *Les Géants*, Hachette Jeunesse.

parcourir le pays : *traverser le pays dans tous les sens.*

contempler : *regarder en admirant.*

la cathédrale Notre-Dame : *la plus grande église de Paris.*

récupérer : *reprendre.*

Le géant Gargantua aimait beaucoup voyager. Il parcourait souvent le pays, monté sur son énorme jument.
Une jument de géant, grosse comme six éléphants.
Un jour, il arriva à Paris… Pour mieux contempler la ville, il s'assit sur la cathédrale Notre-Dame.
Ce spectacle amusait beaucoup les Parisiens.
Mais un jour, Gargantua décrocha les lourdes cloches de la cathédrale.
Là, les Parisiens ne riaient plus du tout : sans les cloches de Notre-Dame, ils ne savaient plus l'heure.
Alors, pour récupérer leurs précieuses cloches,
les Parisiens servirent à Gargantua un repas… géant composé de 300 bœufs cuisinés
en sauce et de 200 moutons rôtis !
Le géant fut ravi et rendit les cloches !

Le célèbre Gargantua, gravure sur bois, Épinal.

▼ À quoi vois-tu que Gargantua est vraiment un géant ?

▼ À un moment de l'histoire, les Parisiens ne sont pas contents du tout. Pourquoi ?

▼ Que font les Parisiens pour arranger les choses ?

Si le mille-pattes savait compter

Winfried Wolf, *Pourquoi les ours blancs ont-ils un museau noir ?*, Casterman Otto Maier Verlag.

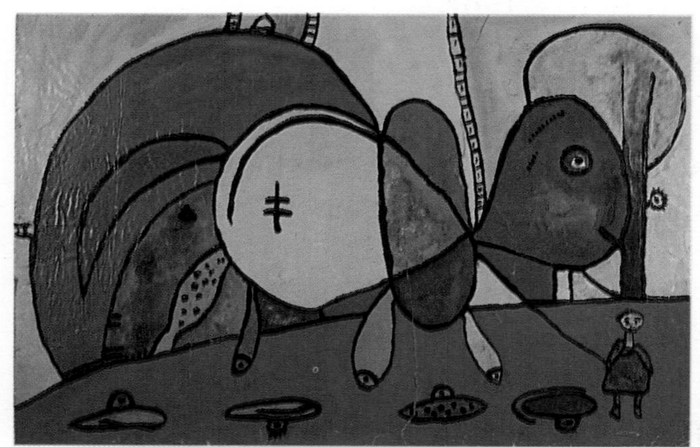

Gaston Chaissac,
L'Enfant tirant sur la bête, 1958.

Que ferait le mille-pattes s'il savait compter ?

Si le mille-pattes savait compter, il regarderait chaque matin s'il a encore toutes ses pattes.
Il compterait : 1, 2, 3, 4, 5, 6, 7, 8, 9, 10, 11, 12, 13, 14, 15, 16, 17, 18, 19, 20, 21, 22, 23, 24, 25, 26, 27, 28, 29, 30, et ainsi de suite jusqu'à mille.
Et si jamais il se trompait ?
Alors il devrait tout recommencer depuis le début : 1, 2, 3, 4, 5, 6, 7, 8, 9, 10, 11, 12, 13, 14, 15, 16, 17, 18, 19, 20, 21, 22, 23, 24, 25, 26, 27, 28, 29, 30, et ainsi de suite jusqu'à mille.
Mais comme le mille-pattes ne sait pas compter, il file tout simplement chaque matin, aussi vite que toutes ses petites pattes le permettent.

- Pourquoi le texte dit : « et ainsi de suite jusqu'à mille » ?
- Imagine un mille-pattes qui veut compter ses pattes mais qui se trompe souvent : que se passe-t-il ?
- Entraîne-toi à lire cette histoire à haute voix, sans te tromper. Tu peux même l'apprendre par cœur.

Jules n'aura pas froid

Ulf Stark, traduction Birgitta Cremnitzer, *Une copine pour papa*,
Ulf Stark et Éditions Pocket pour la traduction.

Jules vit seul avec son père.

C'est la veille des grandes vacances.
Jules part à l'école habillé comme en plein hiver.
Assis à la table de la cuisine, Jules s'amuse à observer les rayons de soleil qui pénètrent par la fenêtre : ils se posent sur lui, sur son papa, sur le cactus, et, enfin, sur la tartine de confiture qu'il n'a pas pu finir.
Aujourd'hui, c'est le dernier jour d'école.
Demain, il y aura la distribution des prix.
Jules espère que Papa ne lui fera pas de réflexions sur sa tenue. Mais il se trompe :
– Tu ne penses tout de même pas aller à l'école comme ça ?
– Comment, comme ça ?
– Dans cet accoutrement !
– Pourquoi pas !
Ce que Papa appelle un « accoutrement », c'est un pantalon de ski, un pull et de grosses chaussettes.
Fin juin, voilà qui n'est pas courant !
– Écoute, mon bonhomme, nous sommes en été ! explique Papa. Ils vont bien rigoler à l'école !
Ils vont se moquer de toi !
– Mais non ! On est tous habillés comme ça dans ma classe !

un cactus :
une plante qui a beaucoup de piquants.

la distribution des prix :
la distribution des récompenses à la fin de l'année.

un accoutrement :
une manière de s'habiller qui peut paraître ridicule.

Papa pousse un soupir qui rappelle le bruit des portes du bus se refermant.
– Mais si, je t'assure, insiste Jules.
Il n'ose pas dire la vérité : il s'est habillé ainsi car tous ses vêtements sont sales, sauf ceux-là. La machine à laver est en panne, il n'y a plus rien de propre, et Papa n'a toujours pas téléphoné au réparateur. Depuis le départ de Maman, il oublie beaucoup de choses. Comme Papa se retourne pour ranger le sucrier et les biscottes, Jules en profite pour enfouir la tartine dans sa poche.

enfouir : *mettre au fond, cacher.*

Il est temps de partir pour l'école : Papa embrasse Jules.
Papa adore faire des câlins.
– Tu ne risques pas de prendre froid ! plaisante Papa. Est-ce que tu as assez mangé, au moins ?
– Bien sûr, Papa ! Au revoir !
Jules essaie toujours de faire semblant d'être content. Quand il traverse le parking, ce matin, il sait que Papa le regarde par la fenêtre. Alors, il joue au petit kangourou tout joyeux qui gesticule et sautille. Tant pis si son pantalon le serre un peu ! Surtout, il ne faut pas que Papa s'inquiète pour lui…

gesticuler : *faire beaucoup de gestes.*

▼ Jules et son père ne sont pas d'accord. Pourquoi ?
▼ Pourquoi Jules a-t-il peur de dire la vérité ?
Si son papa la connaissait, est-ce qu'il le gronderait ?
▼ Pourquoi Jules fait-il toujours semblant d'être content ?
▼ Est-ce que cette histoire pourrait être une histoire vraie ? Explique ta réponse.

Francis Tattegrain, *Jeune garçon en vareuse à mi-corps.*

La petite fille au kimono rouge

Kay Haugaard, traduction F. de Lassus-Saint-Genies, *La Petite Fille au kimono rouge*, Nathan

Myeko est japonaise. Elle est venue vivre aux États-Unis avec ses parents. Ce jour-là, c'est le Nouvel An japonais. Sa mère lui a dit de s'habiller avec un kimono, comme on le fait au Japon.

un kimono : *vêtement japonais long avec des manches larges.*

En montant les marches de l'école, elle a une idée : « Je ne retirerai pas mon manteau. Je le garderai toute la journée. On trouvera peut-être cela bizarre mais, au moins, on ne se moquera pas de moi ! »
Myeko laisse les gâteaux de riz au vestiaire avec sa gamelle et elle va s'asseoir à sa place en gardant son vieux manteau. Elle a soigneusement roulé ses manches et relevé le bas de son kimono pour que personne ne puisse le voir.

un vestiaire : *un endroit où on laisse ses affaires.*

– Vous trouvez qu'il fait froid ici, Myeko ? demande miss Price.

miss : *mot anglais pour dire mademoiselle.*

– Non, merci, miss Price. J'ai seulement envie de garder mon manteau, répond timidement Myeko.
Comme il fait chaud ! Comment va-t-elle pouvoir supporter cette chaleur ? Mais il le faut !
Miss Price fait venir plusieurs élèves au tableau, ainsi que Myeko, pour faire des problèmes.
Myeko marche avec précaution et lève un peu les

avec précaution : *en faisant attention.*

bras pour ne pas que son kimono dépasse. Mais, soudain, elle laisse tomber la craie et, en se baissant pour la ramasser, ses longues manches brodées de papillons s'échappent de son manteau !

– Comme c'est joli, Myeko ! s'exclame miss Price. Ne pouvons-nous voir cette merveille ?

Myeko baisse la tête, tout embarrassée. Elle reste immobile, sans oser dire un mot.

Alors miss Price la prend par la main et, gentiment, la conduit au vestiaire.

Un moment après, miss Price revient, suivie de Myeko qui marche timidement derrière elle. Mais, au lieu d'avoir son vieux manteau marron, Myeko ressemble maintenant à une poupée dans son kimono de soie rouge brodée.

– Mes enfants, Myeko voudrait vous parler du Nouvel An au Japon. Elle porte ce magnifique kimono parce que c'est la période des fêtes.

▼ Pourquoi Myeko est-elle la seule à porter un kimono ce jour-là ?

▼ Pourquoi Myeko cache-t-elle son kimono ?

▼ Que penses-tu de miss Price ?

▼ Est-ce que tu t'es déjà senti(e) différent(e) dans une classe ?

Je ne veux pas aller au tableau

Danièle Fossette, *Je ne veux pas aller au tableau*, Éditions Nathan.

Le petit garçon qui parle ici s'appelle Erwann.

Izis, *Montmartre*, 1949.

Aujourd'hui, c'est jeudi et j'ai mal au ventre.
– Tu as mangé trop de chocolat, me dit maman.
Mais moi, je sais bien que le chocolat ne donne pas mal au ventre seulement le jeudi.
Papa pense que j'invente une raison de rester à la maison au lieu d'aller à l'école, parce que je suis paresseux. Moi, je veux bien être courageux, mais je n'y peux rien : mon ventre ne l'est pas.
Mes parents sont contents quand ils trouvent tout seuls des explications parce que, comme ça, ils se croient très grands. Mais s'ils me le demandaient, je pourrais leur

Maintenant, Renard savait faire
tous les nœuds possibles,
et même des nœuds de son invention.
Et, bien sûr, sa cravate était toujours
impeccablement nouée.

Blaireau avait donné à Mme Lapin
la recette du pain d'épices.
Il lui avait même appris à fabriquer
des petits lapins.
Mme Lapin, qui, dans tout le pays,
avait la réputation d'être

Nicolas de Staël, *Marseille*, 1953.

une excellente cuisinière,
raconta sa première leçon
de cuisine avec Blaireau.
Il y avait bien longtemps de cela
et pourtant, elle sentait encore
la savoureuse odeur
du pain d'épices sorti du four.

Chacun avait un souvenir particulier
de Blaireau. À tous il avait appris quelque chose
qu'ils faisaient maintenant
merveilleusement bien.

Et par ces merveilleux cadeaux,
Blaireau les avait rapprochés et unis.

La neige fondit
et la tristesse des animaux aussi.
Chaque fois que l'on prononçait
le nom de Blaireau, quelqu'un
se rappelait une autre histoire
qui redonnait le sourire à tous.

Mac Donald, *Chute de neige dans les montagnes*, 1932.

▼ Que font les amis de Blaireau ? Pourquoi ?
▼ À ton avis, comment était Blaireau ?
▼ Est-ce que ses amis sont encore tristes à la fin de l'histoire ?

Ulysse et le cyclope

Warwick Hutton, *Ulysse et le cyclope*, collection Mille regards, Éditions Épigones.

Ulysse et ses compagnons rentrent de la guerre. Ils sont arrivés sur une île habitée par des cyclopes, c'est-à-dire des géants très cruels, avec un seul œil au milieu du front. Un des cyclopes, Polyphème, a enfermé Ulysse et ses amis dans sa caverne pour les manger.

Ulysse se mit instantanément au travail. Il choisit dans un tas de bois destiné à faire du feu une branche assez longue et solide.
Avec l'aide de ses hommes, il la tailla et l'épointa, puis il la cacha derrière le tas de bois.
Le soir venu, la porte de pierre se rouvrit, le troupeau de moutons entra, suivi par la silhouette terrifiante du géant. Le cyclope referma la porte et fouilla la caverne de son œil unique.
– Ah, de la chair fraîche ! s'exclama-t-il en se baissant à nouveau, ses deux immenses mains bien ouvertes. Il mangea deux hommes de plus.
Lorsque le géant parut rassasié, Ulysse surmonta sa répulsion et s'avança.
– Je voudrais t'offrir cette outre pleine de vin, dit-il. Cela te permettra de mieux digérer ton repas.
– Comment t'appelles-tu ? demanda Polyphème.
– On m'appelle Personne, répondit Ulysse.
– Je vais goûter à ton vin, Personne. Et, pour te remercier, je te mangerai en dernier.

instantanément :
tout de suite.

épointer :
tailler en pointe.

être rassasié :
ne plus avoir faim après avoir mangé.

la répulsion :
le dégoût.

une outre :
une peau d'animal cousue en forme de sac.

à qui mieux mieux : *de plus en plus fort.*

Or le cyclope n'avait jamais bu de vin de sa vie. Bientôt, le terrible géant se retrouva couché sur le sol de la caverne, plongé dans un profond sommeil alcoolisé. Ulysse saisit alors la branche taillée et, aidé par les hommes qui lui restaient, il en chauffa la pointe à la flamme. Ils s'approchèrent ensuite de Polyphème, qui ronflait à qui mieux mieux, et enfoncèrent la pointe brûlante dans son œil unique.
Polyphème se redressa en poussant des hurlements épouvantables. D'autres cyclopes, qui habitaient des cavernes voisines, l'entendirent et accoururent.

Vase grec.

À travers le gros rocher ils crièrent :
– Que se passe-t-il ? Qui te tourmente ainsi ?
– C'est Personne ! Personne m'a crevé l'œil !
– Bon, si personne ne t'attaque, nous avons dû rêver, direnț-ils en retournant dans leurs cavernes.

▼ Qu'est-ce qu'un cyclope ? Comment s'appelle ce cyclope ?
▼ Comment Ulysse s'y prend-il pour le blesser ?
▼ Pourquoi les autres cyclopes s'en vont-ils sans aider Polyphème ?

Renard et les marchands de poissons

Jacqueline Mirande, *Le Roman de Renard, Contes et légendes du Moyen Âge*, Nathan.

L'hiver approche et Renard doit nourrir sa famille. Il voit justement venir une charrette de pêcheurs pleine de poissons.

Voyez la ruse qu'il emploie : après s'être roulé dans l'herbe, il s'allonge au milieu du chemin et là, il fait le mort : yeux fermés, gueule entrouverte, il prend soin de ne pas respirer.
Arrivent les marchands, ne se doutant de rien. Le premier qui le voit crie à son compagnon :
– Regarde ! Un renard !
Ou peut-être un chien !
– Un renard, oui ! fait l'autre accourant.

accourir : *arriver en courant.*

Attrape-le et fais bien attention qu'il ne t'échappe pas ! Tous deux se précipitent, tournent et retournent Renard qui se laisse tâter l'échine et la gorge, toujours contrefaisant le mort.
En même temps ils s'interrogent :
– Combien crois-tu qu'il vaut ? Quatre sous ?
– Au moins cinq ! Et encore ce n'est pas cher ! Vois comme sa gorge est blanche ! Jetons-le dans la charrette !
Ce qu'ils font ; et ils repartent, tout joyeux à l'idée de la bonne affaire qui vient de leur tomber du ciel ! Couché sur les paniers, Renard en ouvre un de ses dents et en tire trente harengs qu'il mange presque tous sans se soucier d'assaisonnement – ni sel ni sauge !
Le voilà rassasié mais il pense à Hermeline, sa jeune et noble épouse, et à ses deux fils, tous restés au logis et également affamés.

l'échine :
le dos.

contrefaisant le mort :
faisant semblant d'être mort.

la sauge :
une plante que l'on met dans certains plats.

Il s'attaque à l'autre panier, en tire trois beaux colliers d'anguilles attachées par le museau. Il y enfile la tête et le cou, arrange le tout sur son dos et maintenant, il faut descendre de la charrette sans se faire prendre ! Il n'y a ni marchepied ni planche ! Ma foi, tant pis : il se met à genoux, avance un petit peu et, des deux pattes de devant, s'élance. Il saute, retombe au milieu du chemin, les anguilles toujours au cou. Il crie, moqueur, aux marchands :
– Dieu vous garde ! À moi ces anguilles, à vous le reste !

▼ Pourquoi Renard fait-il le mort ?
▼ Trouve dans le texte les phrases qui indiquent que les marchands ne se doutent de rien.
▼ Quel est le caractère de Renard ?
▼ Relis le texte et imagine la suite de l'histoire.

Un petit-déjeuner à minuit

Pascale Wrzecz, *C'est dur d'être un vampire*, Bayard Presse.

Lou est maintenant un garçon comme les autres, mais il n'y a pas très longtemps, son père, sa mère et lui formaient une... famille de vampires !
Les vampires sont très bizarres ! Ils vivent la nuit et dorment le jour... Pauvre Lou ! Il était toujours tout seul. Il avait pourtant très envie de rencontrer d'autres enfants. Un soir, il en a parlé à ses parents :
– J'en ai assez d'être toujours tout seul ! J'ai envie de jouer, de chahuter, de rigoler !
Monsieur Dragoulu a répondu :
– Arrête de dire des bêtises, Lou. Et viens prendre ton petit déjeuner avec nous, il est presque minuit.
Lou a insisté :
– Je voudrais aller à l'école pour avoir des copains,
Sa mère s'est exclamée :
– Tu deviens fou ! Nos enfants ne vont pas à l'école. On n'a jamais vu ça ! Les vampires et les hommes ne peuvent pas être amis !
La nuit était tombée depuis longtemps. Lou s'est mis à table et madame Dragoulu lui a versé un grand bol de sang caillé. Lou a fait la grimace :
– Beurk ! J'ai horreur du sang !

un vampire : *un personnage terrifiant qui n'existe pas.*

caillé : *se dit d'un liquide quand il devient épais.*

Paul Klee, *Acteur.*

Madame Dragoulu a dit :
– Tu n'aimes rien, Lou ! Quand tu étais bébé, tu vomissais tes biberons. J'ai pourtant tout essayé : la bave d'escargot aux lentilles, le pipi de chauve-souris grenadine… Et maintenant tu ne veux plus que des yeux de crapauds grillés ! Mais aujourd'hui, il n'y en a pas. Une nuit, en effet, madame Dragoulu avait rapporté à la maison un paquet de corn flakes en croyant que c'étaient des yeux de crapauds grillés. Lou les avait dévorés avec un appétit d'ogre.
À minuit, Lou n'avait toujours rien mangé. Monsieur Dragoulu commençait à s'énerver :
– Un vampire doit boire du sang s'il veut avoir l'air terrifiant !
Tout en parlant, il montrait ses dents pointues. Mais Lou n'avait pas du tout envie de faire peur aux gens. D'ailleurs, chaque jour, il limait en cachette ses deux dents pointues. Il s'est mis à bougonner :
– Ce n'est pas marrant d'être tout blanc et tout maigre. Je voudrais avoir des joues rouges, et plein de muscles partout !
Monsieur Dragoulu a englouti son sang caillé en trois gorgées et il a dit :
– Dépêche-toi de boire, Lou. Il est temps d'aller faire des courses.
– Je n'y vais pas ! J'en ai assez d'être toute la nuit dehors pendant que les gens dorment. Et puis je ne veux plus mettre ma grande cape noire. Elle est moche !

bougonner :
parler à voix basse avec beaucoup de mauvaise humeur.

Finalement, les parents ont laissé Lou tout seul dans leur grande maison. Elle était un peu pourrie, cette maison : des tuiles tombaient du toit, les portes grinçaient et il y avait de la poussière et des toiles d'araignée partout.
Lou s'est dépêché de monter dans sa chambre pour jouer avec ses deux chauves-souris, Frou-Frou et Zig-Zag, ses seules amies. Mais il s'ennuyait tellement qu'il s'est endormi. Dormir en pleine nuit : c'était la première fois que ça lui arrivait.

Germaine Richier, *Griffu*.

▼ Qui est Lou maintenant ? Qui était-il avant ?
▼ Explique pourquoi Lou veut changer.
▼ Relève dans le texte tout ce qui t'explique comment vit un vampire : sa nourriture, son sommeil…

Kai-to, l'éléphant qui chantait

Gina Ruck-Pauquet, *Kai-to, l'éléphant qui chantait*, Éditions Le Centurion.

Kai-to est un jeune éléphant. Mais il ne barrit pas comme les autres éléphants. Lui, il chante.

barrir : crier pour un éléphant.

Un jour, le chef des éléphants avait particulièrement nettoyé ses très grandes oreilles.
Alors, il entendit lui aussi le chant de Kai-to.
« N'est-il pas beau, ce chant ? » demandèrent les jeunes.
Mais le chef refusa d'écouter davantage.
« Jamais, jamais encore, aucun éléphant n'a chanté », dit-il. « Jamais ! Donc, c'est défendu ! »

Alexandre-Gabriel Decamps, *Tigre et éléphant à la source.*

Il chassa Kai-to. Et quand un éléphant est chassé du troupeau, il n'a plus le droit d'y revenir.
Les éléphants continuèrent leur trajet sur la route des éléphants. Ils mangeaient et buvaient et pataugeaient et se baignaient.
Kai-to suivait leur piste. Il se trouvait bien seul maintenant. Parfois il chantait.
Son chant était souvent plein de tristesse et de colère. Mais c'était toujours le chant de Kai-to.
« C'est Kai-to qui chante », disaient entre eux les jeunes éléphants. Et ils commençaient à s'agiter.
Ils agitaient leurs oreilles et dressaient leur trompe contre le chef du troupeau.
Les vieux ne disaient rien, comme s'ils ne voyaient pas ce qui se passait. Ils fermaient les yeux et faisaient la sourde oreille.

faire la sourde oreille :
faire semblant de ne pas entendre.

C'était la fin de l'été et la saison des pluies approchait. Des orages s'abattirent sur la vaste forêt.
Les jeunes se réunirent en rangs serrés. Ils se mirent à crier : « Kai-to doit revenir ! Kai-to doit revenir ! »
Menaçants, ils barrèrent la route au chef du troupeau : « Si Kai-to ne revient pas, nous partirons tous ! »
« Cela ne s'est jamais fait », dit le chef des éléphants.
« Réfléchis », crièrent les autres. « Il est temps. »
Or il y avait bien longtemps que le chef n'avait plus réfléchi. « J'ai besoin de silence », dit-il.
Et il se fit un grand calme partout dans l'immense forêt. Même les singes dans les arbres se taisaient.
Les heures passèrent. La nuit tomba. Puis le jour se

leva. Le chef des éléphants convoqua tout le troupeau au Lac de la jungle.

« Écoutez », dit-il, « non, jamais encore des choses pareilles ne sont arrivées : un éléphant qui chante, un troupeau qui n'obéit plus à son chef et qui l'oblige même à réfléchir. »

« Eh bien, c'est arrivé maintenant pour la première fois », répondirent les jeunes. « Va chercher Kai-to. »

« Mais ce serait contraire à la loi des éléphants. »

« Et alors ? » demandèrent les jeunes.

« C'est une très vieille loi », dit le chef du troupeau.

« Ce n'est pas parce qu'une loi est vieille qu'elle est nécessairement bonne ! » répliquèrent les jeunes éléphants. « Va chercher Kai-to. »

Alors le chef accepta et il s'en alla vers Kai-to.

Les jeunes éléphants le suivaient. Kai-to était resté tout au bord de la grande forêt. En entendant les éléphants qui approchaient, il se sentit menacé et, pour se défendre, il lança des noix.

« Arrête ! » lui crièrent ses amis.

« Nous venons te chercher et te ramener parmi nous, pour que tu chantes ! »

Alors Kai-to se réjouit, car il n'était pas très heureux tout seul. Les éléphants voulurent pendre une couronne de fleurs à son cou, mais il la mangea et il dit :

la jungle :
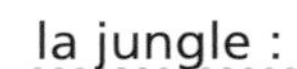
le nom donné à la grande forêt dans certains pays chauds.

Suaire de Saint-Jean, fragment, Xe siècle.

« Je ne suis pas un animal à part. Tout simplement je suis un petit éléphant qui chante. »
Ses amis barrissaient et dressaient leur trompe contre le chef du troupeau en criant :
« Chassons-le ! Chassons-le ! »
« Mais, moi j'ai de l'expérience », dit le chef. « Je sais où trouver les points d'eau et je connais beaucoup d'autres choses. »
Kai-to réfléchit, puis il déclara :
« Maintenant nous allons marcher tous les deux l'un à côté de l'autre. Toi, tu as de l'expérience, moi j'ai de bons yeux, et je pourrai chanter pour tout le monde. »
Et on fit ainsi.
Comme ils en avaient l'habitude depuis toujours, les éléphants continuèrent à marcher sur la route des éléphants. La saison des pluies passée, un nouvel été arriva. Tout semblait aller comme autrefois, comme toujours. Pourtant, quelque chose venait de changer : deux éléphants menaient le troupeau, un vieux et un jeune. Le jeune c'était Kai-to, l'éléphant qui chantait.

▼ Pourquoi Kai-to est-il chassé du troupeau au début de l'histoire ?
▼ Le chef du troupeau ne veut pas d'un éléphant qui chante. Pourquoi ? À ton avis, les vieux éléphants sont-ils d'accord avec lui ?
▼ Que veulent les jeunes éléphants ? Comment s'y prennent-ils ?
▼ Pourquoi Kai-to refuse-t-il la couronne de fleurs ?
▼ Qu'est-ce qui a changé chez les éléphants ?

Éléphant, illustration histoire naturelle allemande, 1887.

La mission d'Amixar

Nicolas de Hirsching, *La Mission d'Amixar*, Bayard Presse.

Luce et Phipo ont gagné un robot à un concours.

Le lendemain, après l'école, Phipo et Luce rentrent très vite. Surprise ! Le robot est déjà là !

Dès qu'il voit les enfants, il s'approche d'eux et leur caresse la tête.

– Bonjour ! Je suis votre nouvel ami. Mon nom est Amixar !

– Qu'est-ce que tu sais faire ? demande Luce, impatiente.

– Je connais cinq mille jeux différents et dix mille histoires ! Je peux aussi vous aider dans votre travail, faire la cuisine, surtout les gâteaux, et le ménage pour réparer tout le désordre que vous faites !

– Génial ! crie Luce. Et tu peux faire nos devoirs aussi ?

– Ah ! Non ! répond Amixar. Je peux vous les corriger, mais pas les faire à votre place. Je ne suis pas programmé pour cela !

– Tant pis ! dit Phipo. On joue d'abord !

– D'accord, dit Amixar.

Et il apprend aux enfants toutes sortes de jeux : « les Poulpes de Mars », « la Huitième Dimension », « l'Univers miniature »...

Deux heures plus tard, le robot annonce d'un air sérieux :

– Je vais vous laisser maintenant ! Je dois préparer le dîner !

l'univers :
l'ensemble des étoiles et des planètes.

miniature :
très petit.

Tinguely, *Machine méta-mécanique automobile*, 1954.

Amixar semble être un robot parfait.

Le soir, à table, Phipo et Luce racontent leur journée : tous les jeux auxquels ils ont joué avec Amixar, toutes les histoires qu'il a inventées.
– Je vois que tout se passe bien avec Amixar, déclare monsieur Ravaud, satisfait. Tant mieux, car maman et moi allons demain soir assister à un concert sur la Lune. On ne rentrera pas de la nuit. Amixar s'occupera de vous !
– Oh ! Non ! proteste Luce. Vous partez toute la nuit ? Vous ne vous en faites pas !
Madame Ravaud répond en souriant :
– Mais puisque Amixar est là ! Et puis, je te rapporterai un beau collier en Righolite !
Luce ne dit plus rien. Ça fait longtemps qu'elle veut un collier comme ça, avec des cailloux qui rigolent dans le noir.
– Une dernière chose ! dit encore monsieur Ravaud. N'ouvrez la porte à personne ! Des amis se sont fait cambrioler et on leur a tout pris, même leur nouveau robot.

se faire cambrioler : *se faire voler.*

Le lendemain, Amixar s'occupe des enfants. Il leur prépare un magnifique goûter, il leur raconte des histoires, il joue avec eux. Puis, il les laisse faire leurs devoirs :
– Je reviendrai quand vous aurez terminé.
Au bout d'un moment, Phipo part à la recherche d'Amixar pour lui demander un renseignement.

Soudain, il entend un bruit de conversation dans le couloir. Amixar est devant le vidéophone, il parle à quelqu'un. Et ce quelqu'un, Phipo le reconnaît immédiatement : c'est monsieur Serpillon, le programmateur ! Phipo entend quelques mots :

– ... beaucoup de valeur... ce soir... pas de parents...

Mais dès que le robot aperçoit le garçon, il coupe la communication.

– À qui parlais-tu ? demande Phipo, étonné.

– C'était une erreur ! Rien d'important ! répond Amixar en se mettant à ranger le salon.

Phipo trouve cela bizarre, puis il n'y pense plus.

Il demande au robot un conseil pour son devoir d'histoire cosmique, et il retourne à son travail.

un vidéophone : *un téléphone avec un écran.*

l'histoire cosmique : *l'histoire de l'univers.*

Hausmann, *L'Esprit de notre temps*, 1919.

En fait, Phipo et Luce se rendent compte très vite qu'Amixar est là pour voler. Ils se bagarrent et Amixar s'apprête à jeter Phipo par la fenêtre.

Tout à coup, la lumière se rallume et Luce apparaît en hurlant :
– Stop ! Arrête-toi, tu as raté ta mission, Amixar !
– Mission ratée ? fait le robot en s'arrêtant net.
Luce brandit une boîte noire. Elle s'approche d'Amixar et le regarde droit dans les yeux.
– J'ai prévenu mes parents avec ma radio spatiale ! Ils savent tout ! Tout est découvert. Tu as raté ta mission !
Amixar lâche Phipo. De la fumée sort de ses oreilles.
– Mission ratée ? Non ! Je ne peux pas ! Je n'ai pas le droit ! Non ! Nooon !
Puis il y a un grand éclair. Le robot s'immobilise : ses yeux se ferment et sa tête penche sur le côté.
Luce s'approche de lui et lui donne un bon coup de pied dans les jambes.
– Voilà ! Bien fait pour toi !
Phipo n'en revient pas.
– Mais… mais comment tu as fait ?
– Facile ! répond Luce. Je lui ai fait croire qu'il n'avait pas obéi à toutes les instructions. Et tu sais bien que dans ce cas, les robots s'arrêtent de fonctionner ! Ça s'appelle « le système de sécurité ». C'était écrit dans le mode d'emploi.
Elle appuie sur un bouton de la boîte noire qui émet

une mission :
un travail.

brandir :
montrer.

s'immobiliser :
s'arrêter.

une instruction :
une explication sur la manière de faire quelque chose.

un petit bruit de sirène : « la radio spatiale » n'était en fait qu'un jouet ! Luce ajoute en riant :
– Et en plus, ils sont bêtes, ces robots, ils croient tout ce qu'on leur dit !

Max Ernst, *Un ami empressé*, 1944.

▼ Relève dans le texte tout ce qui montre que l'histoire se passe dans le futur.
▼ Qui se rend compte qu'Amixar est bizarre ? À quel moment ?
▼ Comment Luce se débarrasse-t-elle de lui ?
▼ Finalement, d'après ce texte, que peut faire un robot ? Qu'est-ce qu'il ne peut pas faire ?
▼ Comment imagines-tu un collier en « Righolite » ?

Recherche iconographique : Chantal Hanoteau
Conception et réalisation de la couverture : Polymago
Conception de la maquette intérieure : Rampazzo & Associés
Réalisation PAO : Rampazzo & Associés

ISBN 978-2-01-115971-7

Crédits photographiques

Intérieur :

Abréviations utilisées : h : haut ; b : bas ; g : gauche ; d : droite.

pp. 6-7 : Illustration de H.C. Appleton, détail, *La Belle au bois dormant*, Edimédia ; **p. 9 :** Peinture fixée sous verre, Sénégal, musée des Arts d'Afrique et d'Océanie, Arnaudet/RMN ; **p. 11 :** Gravure colorée, De Selva Tapabor ; **p. 13 :** *Chasses de Maximilien* d'après des cartons de Van Orley (détail), musée du Louvre, Paris, RMN ; **p. 15 :** Imagerie, De Selva Tapabor ; **p. 17 :** Imagerie, De Selva Tapabor ; **pp. 18-21 :** Illustrations de W. Disney, détail, par autorisation spéciale de TWDCF ; **pp. 22-23 :** Kali Ismail, *Le Dévoilement des secrets*, Peinture arabe du XIVe siècle, bibliothèque Suleymaniye, Istanbul, Babey/Artéphot ; **p. 25 :** Max Ernst, *L'Eléphant Célèbes*, 1921, René Roland/Artéphot, ADAGP, 1996 ; **p. 26 :** illustration de H.C. Appleton, *La Belle au bois dormant*, Edimédia ; **p. 29 :** Nasombe, Tanzanie naïf, Tingatinga, *La pêche*, J.D. Joubert/Hoa-Qui ; **p. 31 :** illustration de H. Reymond, *Hermelin avait invité le bonhomme à déjeuner*, coll. Jonas/Kharbine-Tapabor ; **pp. 33 et 34 :** *La sorcière*, détail d'une carte postale hongroise, J.L.Charmet ; **pp. 35 :** *Ombres*, détail, Espagne, photographie de J. Gaumy/Magnum ; **pp. 36-37 :** photographie de Eliott Erwitt, *États Unis, État de New York, Albany*, Magnum ; **p. 38 :** *Enterrement*, détail, Espagne, J. Gaumy/Magnum ; **pp. 40 et 43 :** Francisco Goya, *Le colosse*, détail et intégral, musée du Prado, H. Josse ; **pp. 44-45 :** Détail de la *Représentation du malade imaginaire à Versailles*, gravure du XVIIe siècle, H. Josse ; **p. 47 :** Dessin de Melles Vesquez, *Cirque : Les Fratellini*, détail, De Selva ; **p. 48 :** Illustration du *Petit Chaperon rouge* de R. André, détail, P. Pitrou ; **p. 49 :** Illustration du *Petit Chaperon rouge* de R. André, détail, P. Pitrou ; **p. 50 :** photographie de J.H.Lartigue, *La chauve-souris de Grandin*, Association des amis de J.H. Lartigue ; **p. 53 :** *Meeting d'aviation à Nice*, Affiche, Paris Arts décoratifs, Edimédia ; **pp. 54-56 :** Détail et intégral, De Selva Tapabor ; **p. 59 :** Henri Geoffroy, *La Classe enfantine*, détail, 1889, ministère de l'éducation nationale, J.-L. Charmet/Explorer ; **p. 61 :** Robert Doisneau, *L'Information scolaire*, 1959, Robert Doisneau/Rapho ; **p. 63 :** Paul Signac, *Voiliers dans le port de Saint-Tropez*, 1893, Wuppertal, Musée Von der Heydt, AKGADAGP, 1997 ; **p. 64 :** Van Dongen, *Hiver à Cannes*, Giraudon, ADAGP, 1996 ; **p. 65 :** *Représentation du malade imaginaire à Versailles*, gravure du XVIIe siècle, H. Josse ; **pp. 66-67 :** Illustration du Bourgeois gentilhomme, détail, bibliothèque de l'Arsenal, Paris, Giraudon ; **p. 69 :** Affiche de *Knock*, 1923, du théâtre Athénée, détail, L. de Selva Tapabor ; **p. 71 :** Affiche du film de Guy Lefranc, *Knock*, 1950, J.L.Charmet ; **pp. 72-73 :** Franz Marc, *Cheval dans un paysage*, 1910, Essen, Museum Folkwang, AKG ; **p. 74 :** h : Max Beckman, *Route de campagne, chemin de fer et arc-en-ciel*, collection privée, AKG, ADAGP 1996 ; b : Gaston Chaissac, *Composition, 1957*, J.C.Mazur/Centre G. Pompidou, ADAGP, 1996 ; **p. 75 :** Paul Klee, *Le poisson d'or*, 1925, Hambourg Kunsthalle, AKG, ADAGP, 1997 ; **p. 76 :** Picasso, *Le Coq*, 1943, collection particulière, Edimédia, succession Picasso 96 ; **p. 77 :** Eugène Viollet-Le-Duc, *Pierrefonds*, dessin aquarellé, détail, 1814-1878, Arnaudet/RMN, ADAGP, 1997 ; **p. 78 :** Benjamin Rabier, extrait *Des Grenouilles qui demandent un roi*, détail, J.L.Charmet, ADAGP 1997 ; **p. 79 :** Jan Van Kessel I, *Concert d'oiseaux*, collection particulière, Edimédia ; **p. 80 :** h : Paul Cezanne, *Le pont de Maincy, près de Melun vers 1879*, musée d'Orsay, Paris, RMN ; b : Illustration de Raphaël Kirchner, bibliothèque des Arts décoratifs, J.L. Charmet/ Explorer ; **p. 81 :** h : Claude Monet, *La Pie*, musée d'Orsay, RMN, ADAGP, 1997 ; b : Frédéric Bazille, *La robe rose ou vue de Castelnau le lez*, musée d'Orsay, Hervé Lewandowsli/RMN ; **p. 82 :** h : Max Pechstein, *Dande Beaumtenhaus*, 1911, collection particulière, Edimédia, ADAGP 1996 ; b : Peinture fixée sous verre, détail, Sénégal, P. Leroux/Hoa-Qui ; **p. 83 :** h : Gustave Courbet, *L'Atelier du peintre*, 1855, musée d'Orsay, H. Josse ; b : Caspar Wolf, *Le pont du diable près de Schoellenen*, 1777, AKG ; **p. 84 :** h : Max Ernst, *Cher Bibi*, bronze patiné vert, collection particulière, Edimédia, ADAGP 1996 ; b : Henri Geoffroy, *Une sortie de classe*, 1888, collection particulière, Edimédia ; **p. 85 :** Fixes sénégalais, détail, M. Renaudeau/Hoa-Qui ; **p. 87 :** Photographie d'Izis, *Impasse traînée, Montmartre, 1950*, Izis ; **p. 88 :** h : W. Kandinsky, *La Nuit*, 1907, illustration pour le conte russe *La Belle Wassilisse*, Städtliche Galerie in Leubachhaus, Munich, AKG, ADAGP Paris 1997 ; b : Franz Marc, *Cheval dans un paysage*, 1910, Essen, musée Folkwang, AKG ; **p. 89 :** Anonyme, *Deux petites filles sur l'escalier de la plage*, Roger-Viollet ; **pp. 90-91 :** Illustration, De selva Tapabor ; **pp. 92-93 :** Gravure du XIXe siècle, *Un Loup*, détail, bibliothèque des arts décoratifs, Dagli-Orti ; **p. 95 :** *Enfant indien tenant un avocat*, Guatémala, Hachette ; **p. 96 :** Enluminure de Guillaume Revel, *Le château de Cautrenon vers 1450*, BN/Hachette ; **pp. 98-99 :** Léon de Smet, *L'Arc-en-ciel*, 1914, Edimédia, ADAGP 1996 ; **pp. 100-101 :** Illustration, détail, De Selva Tapabor ; **p. 103 :** Illustration extraite de *L'Algérie, histoire, conquête et colonisation*, Firmin Didot 1883, De Selva Tapabor ; **p. 104 :** *Mouette rieuse*, détail, B. Renevey/Bios ; **p. 105 :** Microbe de la grippe, détail, M. Cogan/ Rapho ; **pp. 106-107 :** Microbe de l'hépatite B, M. Cogan/ Rapho ; **p. 109 :** *Premiers pas sur la Lune*, 1969, Gamma ; **p. 110 :** détail de *L'arroseur arrosé*, affiche par Auzolle, 1896, J.L. Charmet/Explorer ; **p. 111 :** *Cinématographe Lumière*, Affiche de Brissot, 1895, J.L. Charmet/Explorer ; **p. 113 :** g : Giuseppe Arcimboldo, *L'Eté*, 1573, A. Meyer/Artéphot ; d : Giuseppe Arcimboldo, *L'Automne*, 1573, musée du Louvre, G. Dagli-Orti ; **pp. 114-115 :** Gaston Chaïssac, *L'Enfant tirant sur la bête*, musée d'Art moderne, Paris, RMN, ADAGP 1996 ; **p. 116 :** Illustration de Benjamin Rabier pour les animaux en liberté, *Le Coupage du lait*, bibliothèque des Arts décoratifs, J.L. Charmet ; **pp. 118-119 :** Lithographie de Eugen Osswald, détail de Le *Loup et les sept chevreaux*, 1910, AKG ; **p. 121 :** *Le Célèbre Gargantua*, gravure sur bois, bois gravé sur papier coloré au pochoir, Epinal, fin XIXe siècle, J. Schormans/RMN ; **p. 122 :** Gaston Chaissac, *L'Enfant tirant sur la bête*, musée d'Art moderne, Paris, RMN, ADAGP 1996 ; **p. 125 :** Francis Tattegrain, *Jeune garçon en vareuse à mi-corps*,musée d'Orsay, Paris, Hervé Lewandowsli/RMN ; **p. 127 :** Photo Hachette ; **p. 128 :** Photographie d'Izis, *Montmartre, 1949*, Izis ; **p. 130 :** Illustration du lièvre et la tortue, détail, De Selva Tapabor ; **p. 131 :** Illustration de la cigale et la fourmi par F. Lorioux, détail, 1927, J.L. Charmet ; **p. 133 :** Nicolas de Staël, *Marseille*, 1953, collection privée, A. Held/Artéphot, ADAGP 1996 ; **p. 134 :** Mac Donald, *Chute de neige dans les montagnes*, détail, lac Oessa, 1932, Edimédia, ADAGP 1996 ; **pp. 136-137 :** *Ulysse et Polyphème*, détail d'un vase grec, bibliothèque des Arts décoratifs, J.L. Charmet ; **p. 138-140 :** Illustrations Ivanovsky, détail, P. Pitrou ; **pp. 141-142 :** Aquarelles de Antoine de Saint-Exupéry, *Le Petit Prince*, Gallimard ; **p. 144 :** Paul Klee, *Acteur*, 1923, Nimatallah/Artéphot, ADAGP 1996 ; **p. 146 :** Sculpture de Germaine Richier, *Griffu*, collection musée Reattu, Arles, B. Delgado, ADAGP 1996 ; **p. 147 :** Alexandre-Gabriel Decamps, *Tigre et éléphant à la source*, musée du Louvre, Paris, D. Arnaudet/RMN ; **p. 149 :** Suaire de Saint-Jean, Fragment, Iran Xe siècle, Lauros/Giraudon ; **p. 151 :** Illustration histoire naturelle allemande, *Eléphant*, 1887, De Selva Tapabor ; **p. 153 :** Tinguely, *Machine méta-mécanique automobile*, 1954, collection du musée national d'Art moderne, ADAGP 1996 ; **p. 155 :** Hausmann, *L'Esprit de notre temps*, 1919, collection du musée d'Art moderne, ADAGP 1996 ; **p. 157 :** Max Ernst, *Un Ami empressé*, 1944, B. Hatala/musée George Pompidou, ADAGP 1996.

Couverture :

Félix Vallotton : *Coin de parc avec enfant jouant au ballon (le ballon)*, 1899, Hervé Lewandowsli/RMN.

Imprimé en Italie par Rotolito Lombarda S.p.A.
Dépôt légal : 10/2009 - Collection n° 32 - Edition n° 11
11/5971/4